# 킹덤 리더십
## *Kingdom Leadership*

지은수 **지음**
*Caleb Ji*

부크크

# 킹덤 리더십

*Kingdom Leadership*

**발 행** | 2024년 8월 23일
**저 자** | 지은수
**펴낸이** | 한건희
**펴낸곳** | 주식회사 부크크
**출판사등록** | 2014.07.15(제2014-16호)
**주 소** | 서울특별시 금천구 가산디지털1로 119 SK트윈타워 A동 305호
**전 화** | 1670-8316
**이메일** | info@bookk.co.kr

ISBN | 979-11-419-0181-3

www.bookk.co.kr

# 킹덤 리더십
## *Kingdom Leadership*

나와 세상을 변화시키는
리더십 만들기

*Cultivating Leadership that*
*Transforms Myself and the World*

부크크

# 목차

# 3부 로버트 클린턴의 리더십 이론 배우기

## 4부 리더십 개발 실천하기

## 시작하는 말

우리의 인생은 출생과 죽음(천국입성)사이에 짧은 시간 동안에 우리가 살아가는 일상이다. 한 번 밖에 없는 소중한 인생이기에 살아가는 과정도 중요하다. 그러나 유종의 미를 거두며 인생을 잘 마무리하는 것은 더 중요하다. 왜냐하면 한 평생을 잘 살아왔지만 마지막을 잘못 살아 평생을 거쳐 쌓아 온 명성이 쓰레기통으로 들어가는 인생으로 전락할 수 있기 때문이다.

리더십 분야의 권위자인 로버트 클린턴은 박사는 그의 저서 '지도자 만들기'에서 수십 년 동안 지도자들의 삶을 추적하면서 연구한 데이트를 바탕으로 지도자들의 70 퍼센트는 유종의 미를 거두지 못하고 생을 마감했다는 결론을 내리면서 하나님 앞에서 유종의 미를 거두는 인생이 진정한 성공한 인생이라고 말하고 있다. 유종의 미를 거두는 아름다운 인생을 위해서는 내 인생을 가꾸어야 한다. 내 인생을 평생을 두고 개발해야 한다. 필자는 이것을 두고 리더십의 정원을 가꾸어야 한다고 표현했다. 정원은 아름다운 것이다. 계절을 따라 정원안에 있는 나무와 풀고 꽃이 색깔이 바뀐다. 우리는 그 정원에서 봄에는 겨울을 뚫고 나온 예쁜 새싹을 본다. 여름에는 푸르고 아름다운 정원의 모습을 본다. 가을에는 형형색색의 나뭇잎을 보기도 하고 그 낙엽 비(낙엽이 떨어지는 모습)도 맞아 보는 경험도 한다. 추운 겨울에는 하얀 눈꽃 세상을 만난다. 이처럼 정원이 잘 가꾸어져 있으면 사람이 찾아오게 된다. 우리의 인생도 마찬가지다. 인생이라는 정원도 가꾸어야 한다. 그래야 아름다움이 유지될 수 있다. 내 인생이라는 정원을 잘 가꾸면 사람들이 찾아오고 싶어한다. 선한 영향력을 주는 리더십을 평생을 통해 만들어 가면서 그 리더십이라는 정원을 잘 가꾸고 돌볼 때, 인생 정원이 푸르고 아름답게 유지될 수 있다.

　필자는 이글을 읽는 모든 분들이 일생을 통해 하나님과 생동감 있는 교제를 나누면서 평생을 통해 리더십을 개발하고 그 리더십이라는 정원을 잘 가꾸고 돌보기를 바란다. 그래서 마지막에 아름답게 유종의 미를 거두는 성공적인 인생이 되기를 간절히 소망한다.

# 성경을 통해서 배우는 리더십 1.

## 성경에서 말하는 '나'에 대한 정의

회사에서 최고 자리에 오르는 것이 인생의 성공인가? 정치에 있어서 최고의 지위에 오르는 것이 인생의 성공인가? 예술계에서 최고의 상을 받고 최고의 스타로 등극하는 것이 인생의 성공인가? 스포츠에서 챔피언이 되는 것이 인생의 성공인가? 필자는 그렇지 않다고 단호하게 말한다. 진정한 성공은 자신의 성취를 통해서 그리고 그 지위와 힘을 통해서 다른 사람을 돕는 그런 인생이 성공한 인생이다. 미국 사람은 히어로(영웅)이라는 호칭을 사용하기를 좋아하는 것 같다. 슈퍼맨이나 마블의 영화의 영웅적인 주인공처럼 스포츠에서 탁월한 실력으로 성공하면 히어로(영웅)로 추앙한다. 그러나 히어로의 인성을 보지 않는다. 실력과 결과만 좋으면 최고라는 생각을 갖고 있다. 이것은 성공제일 주의가 낳은 결과물이다. 성공제일 주의는 사회 공동체를 병들게 할 수 있다. 사람을 우등과 열등한 사람으로 나누고, 돈이 있고 없는 사람으로 나눈다. 사람을 출신 배경이 좋고 나쁨으로 나누어 금수저 흙수저 라는 신조어로 사회 공동체를 시퍼렇게 멍들게 하고 있다. 공부에 실력이 없는 사람도 많다. 사업에 재능이 없는 사람도 있다. 약하고 실력이 부족한 사람을 도와서 실력을 끌어 올려주고 또 그 사람에게 다른 장점이 있는지를 찾아 주고 개발시켜 줄 수 있는 그런 사회적 분위기가 만들어 져야 한다.

성경은 바르게 세상을 살 수 있도록 우리를 이끌어 준다. 진정으로 성공하고 싶으면 성경을 보라. 예수님은 하나님 나라의 왕이시지만 이 땅에 오셨을 때는 구유(가축 여물통)에서 나셨다. 그러면 요즘 세상말로 흙수저 출신이다. 그러나 원래 신분이 우주의 통치자이시다. 왕이시다. 창조주 하나님이시다. 그래서 우리는 금수저 흙수저 라는 말을 사회에서 영원히 추방해야 한다.

고린도 전서 1장 26-31절을 보라.

"형제들아, 너희를 부르신 것을 너희가 보거니와 부르심을 받은 자로서 육체를 따라 지혜로운 자가 많지 아니하고 강한 자가 많지 아니하며 고귀한 자가 많지 아니하도다. 그러나 하나님께서 지혜로운 자를 부끄럽게 하려고 세상의 어리석은 것들을 택하시고 하나님께서 강한 것들을 부끄럽게 하려고 세상의 약한 것들을 택하시며 하나님께서 있는 것들을 쓸모없게 하려고 세상의 천한 것들과 멸시받는 것들을 택하시고 참으로 없는 것들을 택하셨나니 이것은 어떤 육체도 자신 앞에서 자랑하지 못하게 하려 하심이라. 그러나 너희는 하나님에게서 나서 그리스도 예수 안에 있고 예수님은 하나님에게서 나사 우리에게 지혜와 의와 성별과 구속이 되셨으니 이것은 기록된 바, 자랑하는 자는 주를 자랑할지니라, 함과 같게 하려 함이니라."

어떤 사람은 스스로를 세상에서 지혜가 부족하고 약하고 없고 비천하고 멸시를 받는 존재라고 여기며 살기도 한다. 그러나 예수님을 모신 인생은 운명이 바뀐다. 예수님의 자녀가 되었다는 것은 우리의 신분이 왕족의 신분으로 바뀐 것을 의미한다. 이 세상을 창조하시고 우주를 경영하시는 왕이 우리의 아버지가 되신 것이다. 그래서 나에 대한 나의 선입견을 버려야 한다. '나'를 바라보는 시각이 바뀌어야 한다. 하나님께서 예수 그리스도를 통해서 '나'를 바라보시는 그 시각으로 '나'를 바라볼 수 있어야 한다. 예수 그리스도는 '나'를 위해 십자가에서 죽으시고 '나'에게 영원한 생명을 주시고 '나''를 왕의 자녀로 삼아 주시려고 부활하셨다. 그래서 하나님께서 '나'를 바라보실 때 죄인으로 보지 않고 예수님을 통해서 '나'를 바라보시기에 이제는 의인이고 당신의 영원히 사랑하는 자녀로 보고 계신다.

어둠속에 있던 내 인생에 빛이 들어왔다. 그 빛이 내 인생 안의 어두운 구석까지도 다 비쳐서 어둠을 몰아 냈다. 그리고 내 인생을 빛나게 만들고 있다. 신분 자체가 우주 통치자의 자녀의 신분으로 바뀌었다. 이제 내가 가는 길이 '왕의 길'이다. 이 인식이 내 삶에 깊이 뿌리내려야 한다. 세상이 말하는 거짓된 '나'에 대한 정의를 거부하라.

창세기 1장 27절에 보면,

**하나님께서 자신의 형상으로 사람을 창조하시되 하나님의 형상으로 그를 창조하시고 그들을 남성과 여성으로 창조하시니라"**

고 말한다. '나'는 하나님의 형상을 따라 지음 받은 소중한 존재다.

에베소서 2장 10절에서,
**"우리는 그분의 작품이요 그리스도 예수님 안에서 선한 행위를 하도록 창조된 자들이니라, 하나님께서 그 선한 행위를 미리 정하신 것은 우리가 그 행위 가운데서 걷게 하려 하심이니라"**

고 말한다. '나'는 하나님의 작품이다.

에베소서 2장 19절에서,

**"그러므로 너희는 더 이상 낯선 자와 외국인이 아니요 오직 성도들과 더불어 동료시민이요 하나님의 집안에 속한 자들이며"**

고 말한다. '나'는 하나님의 권속이다. 즉 창조주이시고 우주 통치자이신 왕 중의 왕이신 하나님의 가족이다.

베드로 전서 2장 9절에서,

**"너희는 택하신 족속이요 왕 같은 제사장들이요 거룩한 나라요 그의 소유가 된 백성이니 이는 너희를 어두운 데서 불러 내어 그의 기이한 빛에 들어가게 하신 이의 아름다운 덕을 선포하게 하려 하심이라"**

고 말한다. '나'는 하나님의 택하신 족속이다. '나'는 왕 같은 제사장이다. '나'는 거룩한 나라다. '나'는 하나님의 소유가 된 그의 백성이다. 그리고 '나'는 나를 어두운 데서 불러 내어 하나님의 기이한 빛에 들어가게 하신 예수 그리스도의 아름다운 덕을 선포해야 하는 사명을 가지고 있다.

이것이 성경이 말하는 '나'에 대한 정의다. 우리는 성경으로 돌아가야 한다. 그래야 인생의 첫 단추를 잘 끼울 수 있다. 성경으로 돌아가 '나'를 다시 세우는 것은 내 인생의 기초를 튼튼하게 놓는 것을 말한다. 이것은 매우 중요하다. 기초가 튼튼하지 못하면 그 건물은 결국 무너진다. 인생의 홍수를 만나거나 인생의 폭풍을 만나면 그 인생은 흔들려 무너지고 한다. 평생을 쌓아 올린 것들이 한 순간에 무너질 수 있다. 우리는 그런 사례를 주변에서 쉽게 찾을 수 있다.

성경 잠언 9장 10절에 **"여호와를 경외하는 것이 지혜의 근본이요 거룩하신 자를 아는 것이 명철이니라"**고 말한다. 우리는 처음 가는 길을 갈 때 네비게이션 안내를 따라 목적지까지 운전해 간다. 성경은 우리 인생의 네비게이션이다. 성경은 우리가 어떻게 인생을 살아야 하는지 우리의 인생 길을 안내하고 있다.

인생을 아름답게 가꾸고 돌보기 위해서 리더십의 정원을 가꾸어야 한다. 리더십이라는 정원을 돌보고 가꾸는 중요한 원리는 하나님 말씀을 따라 가꾸고 돌보아야 한다는 것이다.

"'나'는 하나님의 택하신 족속이다.
'나'는 왕 같은 제사장들이다.
'나'는 거룩한 나라다.
'나'는 하나님의 소유가 된 그의 백성이다.
그리고 '나'는 나를 어두운 데서 불러 내어
하나님의 기이한 빛에 들어가게 하신
예수 그리스도의 아름다운 덕을
선포해야 하는 사명을 가지고 있다."

## 리더십에 대한 이해

리더는 단지 명령만 내리는 사람이 아니다. 권위나 지위 또는 엄청난 지식이나 좋은 성품을 가졌다고 지도자라고 말하지 않는다. 리더십은 어떤 권위를 사용하여 명령만 하달하거나 지침을 전달하는 것을 의미하는 것이 아니다. 리더는 하나님의 뜻과 사람들의 필요들에 초점을 맞춘 사람들이다. 리더십에 대한 정의들을 살펴보면 다음과 같다.

### 리더십에 대한 몇 가지 정의들

빌헐은 제자도의 관점에서 제자 또는 지도자의 영향력에 대해 언급했는데, 그는 "제자가 된다는 것의 핵심은 그리스도와의 연합을 이루어 날마다 그분과 잇대어 살아가는 데 있다. 제자도, 곧 제자가 되어 다른 제자들을 또 길러 내려고 분투하는 것은 하나님의 거대한 가치가 한 개인의 삶 속에서 역사해서 결과적으로 다른 이들의 삶에도 영향을 미친다는 것"이라고 말한다(빌 헐 2009:24).

블랙카비는 '영적 리더십'이라는 그의 책에서 "영적 리더는 사람들을 움직여 현재의 자리에서 하나님이 원하시는 자리로 가게 한다. 이것이 영향력이다. 모든 노력을 기울여 사람들이 자기 스타일을 따르는 삶에서 하나님의 목표를 추구하는 삶으로 옮겨가게 한다"라고 말했다(헨리 블랙카비와 리처드 블랙카비 2002:35-39).

로버트 클린턴은 그가 쓴 '리더 만들기'에서 "리더란 하나님께서 부여하신 잠재력을 인식하고 그 잠재력에 대한 책임감을 인정하면서 하나님으로부터 보내심을 받은 특정한 그룹으로 하여금 그 그룹을 향한 하나님의 목표로 나아가도록 영향력을 끼치는 사람이다"라고 말한다(로버트 클리턴 2011:120).

이처럼 리더십은 지도자가 사람들에게 바른 방향을 향해 가도록 앞에서 이끌어 주고, 뒤에서 밀어주고, 옆에서 함께 걸어가고, 때로는 징검다리가 되어 주고, 때로는 다리(브릿지)가 되어 주면서 영향력을 주는 것을 말한다.

그러면 성경에서는 리더십에 대해 어떻게 말하고 있는지 살펴보겠다.

성경에서 리더를 뜻하는 단어가 있다. '집안의 어른'(출 6:14절), '무리의 우두머리'(느 7:2절), '지파의 두령'(신 1:15절; 5:23절; 왕상 8:1절; 출 18:25절), '군사적, 사법적 기능을 가진 자'(신 1:13절)의 뜻으로 사용되었다. 구약성경에 지도자를 대장, 감독, 두목을 뜻하는 의미로 쓰여지기도 하였다. 사무엘상 9장 16절에서는 왕과 위치가 비슷한 의미로 사용된다. 한편 역대상 9장 11절에서 족장을 의미하는 단어로 쓰였다. 그 외에 성읍의 지도자나 지파들의 관장에 적용되었으며(대상 27:16절; 12:28절), 군대조직의 우두머리 천부장, 백부장(대상 13:1)과 장관(대하 11:11절)에 적용되었다. 지도자는 어떤 목적이나 목표에로 이끌어 가는 자를 말한다. 배움에 있어서 상대방보다 앞서 배웠다는 의미에서 '스승', '교사'란 뜻도 지닌다. 그러나 구약은 세상의 진정한 통치자는 유한성이 있는 인간 지도자가 아니라 하나님이심을 말하고 있다. 그 분은 시간의 처음을 창조하신 자요 만물을 창조하신 분이시기 때문이다(창 1:1절).

사도행전 27:11절에서는 선장을 의미한다. 즉 배의 질서와 나아갈 길을 결정하며, 운전하는 자이다. 로마서 14장 9절에서는 지도자를 주(主)가 된다는 의미로 사용되었다. 에베소서 4장 12절에서는 질서 있게 비치하다, 바로 놓다는 의미로 사용되었다. 로마서 16장 2절에서는 리더십이 약자를 보호해 주고 후원하는 모습으로 나타난다.

　　이처럼 성경에서 말하는 지도자에 대한 개념의 공통점은 지도자는 사람들을 바른 방향으로 이끌어가고 그들을 보고하고 돕는 자를 의미한다. 성경이 말하는 리더십(지도력)은 결국 사람들을 하나님의 뜻 가운데로 인도하고 이끌어 주는 하나님 나라의 영향력인 것이다.

　　그러나 성경에서 인생 끝까지 맡겨진 사명을 잘 마무리하면서 하나님의 마음에 합했던 지도자들이 있었는가 하면, 중도에 하나님의 뜻을 저버린 지도자들의 말로도 우리는 확인할 수 있다. 인생의 시작도 과정도 중요하지만 무엇보다 중요한 것은 잘 마무리하는 것이다. 인생의 끝에서 유종의 미를 거두는 자가 진정한 성공자이기 때문이다. 그러기 위해서는 우리 삶을 날마다 말씀으로 가꾸고 돌보아야 한다. 그리고 하나님 나라의 영향력을 발휘하는 리더십을 개발해야 한다. 이것은 평생을 통해 개발해 가야 한다.

"인생의 시작도 과정도 중요하지만
무엇보다 중요한 것은 잘 마무리하는 것이다.
인생의 끝에서 유종의 미를 거두는 자가
진정한 성공자이기 때문이다."

# 성경의 인물을 통해서 배우는 리더십

## 에녹의 삶을 통해 배우는 리더십

"에녹이 하나님과 동행하더니 하나님이 그를 데려가시므로 세상에 있지 아니하였더라" 창세기 5:24

### 핵심: 하나님과 친밀하게 동행하는 삶을 살아라

죄악이 땅에 가득했던 힘들고 어둡던 시대에 그는 세상의 방법을 따라 살지 않고 하나님을 따라 인생을 경영하기로 결정했다. 그의 삶의 핵심 가치는 하나님을 삶의 중심에 모시고 하나님과 동행하는 삶에 집중하는 것이었다. 즉 하나님과의 동행이 그의 인생경영의 핵심이었다.

동행의 핵심은 서로를 향해 한 걸음씩 더 가까이 다가가는 것이다. 에녹은 하나님께 한 걸음 더 바짝 붙었다. 하나님이 그 시대의 방패요 산성이 되어 주셨기 때문이다.

하나님은 하나님께 한 걸음 바짝 다가온 에녹의 손을 잡고 끌어당겨 당신 곁에 두시고 죄로 어두운 시대를 믿음으로 걸어 갈 수 있게 이끌어 주셨다. 그리고 에녹이 이 땅에서 육신의 죽음을 보지 않게 하시려고 하나님은 어느 날 그를 하늘로 데려 가셨다.

엘리야도 불 병거를 타고 하늘로 승천했다. 예수님도 제자들이 보는 앞에서 하늘로 승천하셨다. 과학수업 시간에 배워서 알고 있는 지구의 중력은 아무런 소용이 없었다. 왜냐하면 하나님이 우주를 창조하시고 운행하시는 분이시기 때문이다.

필자가 중국 중경에서 한글학교 교장으로 있을 때 중경에 한 손님이 찾아오셨다. 미국 글락소스미스클라인 제약회사 연구소에서 근무하시는 김용호 박사님 이셨다. 한국 식약청 초청으로 한국에 오셨다가 중국에 잠시 들리셨다. 나는 김영호 박사님으로부터 직접 간증을 듣게 되었다. 그분의 간증은 큰 감동을 안겨주었다. 김영호 박사님은 1급 장애가 있는 분이다. 다리 한 쪽이 소아마비로 인해서 걸을 때면 한 쪽으로 온 몸이 기울어져 걷는 것이 많이 불편한 분이다. 그런데 얼굴은 천사처럼 환한 미소가 있었다. 그리고 확신에 찬 자신감과 유모가 풍부한 분이셨다.

그가 대학에서 약학을 전공하고 있을 때 교수님으로부터 복음을 전해 듣고 예수님을 영접한 이야기, 아내를 만나게 된 이야기, 금식기도 후에 1급 장애를 가진 불편한 몸으로 예비 장인어른을 찾아가 결혼 승낙을 받아 낸 이야기, 대학 졸업 후에 시골에 내려가 약국을 운영한 이야기, 그리고 늦은 나이에 미국 유학의 꿈을 안고 미국약학대학원 입학원서 작성할 때 재정 보증인 란에 마가복음 3장 35절 "누구든지 하나님의 뜻을 행하는 자 곧 그가 내 형제요 내 자매요 어머니라, 하시니라"을 떠올리며 '나의 형제, 예수 그리스도'라고 쓴 이야기, 그리고 전액 장학금과 생활비 보조의 조건으로 미국 약학대학원에 입학하여 박사 학위를 받고 세계적인 제약회사인 글라소스미스클라인(GSK plc, formerly GlaxoSmithKline plc) 연구소에 취업한 이야기, 그 과정에서 기도로 살았던 이야기를 통해 하나님 아버지는 1급 장애인인 자신의 삶에 하늘의 소망으로 채워 주시고 인생 자체를 바꾸어 주셨다고 고백하였다.

그러나 무엇 보다 필자의 마음에 큰 감동과 울림을 주었던 내용은 다음의 내용이었다. "저는 추운 겨울에 눈이 내려 얼어버린 도로 위를 걸을 때가 제일 무섭습니다. 한 발을 의지해서 걷다가 보니까 미끄러져 넘어질 때가 많습니다. 그래서 온 마음을 집중해서 긴장하면서 조심 또 조심하며 걸어갑니다.

저는 하나님의 자녀가 이 유혹 많은 세상에서 살아 갈 때 하나님 앞에서 가져야 할 태도가 이래야 한다고 생각합니다. 마치 살얼음판을 걷듯이 그렇게 조심하면서 긴장감을 갖고 죄를 멀리하려고 노력하고 하나님 앞에 온 마음을 집중하고 하나님을 삶의 제일 1등자리에 두고, 제일 중심에 모시고 세상을 살아야 한다고 생각합니다."

이 세상을 살아 갈 때 마치 살얼음판을 걷듯이 신앙의 경주를 하라는 메시지가 마음에 큰 경종을 울렸다.

그리스도인들은 하나님 아버지가 우주를 경영하시고 역사를 주관하고 계시는 분이심을 한 순간도 잊어서는 안 된다. 죄악이 홍수처럼 범람하는 이 시대를 살아가는 방법은 오직 하나이다. 하나님께 한 걸음 더 바짝 붙어 하나님 아버지의 손을 잡고 한 걸음 한 걸음을 내 딛는 것이다. 하나님의 말씀을 등불 삼아 이 시대를 살아야 한다. 하나님과 더욱 긴밀하게 동행하는 삶을 리더십의 핵심 가치로 삼아라.

"주의 말씀은 내 발의 등불이요, 내 길에 빛이니이다."
시편 119:105

"하나님께 가까이함이 내게 복이라 내가 주 여호와를 나의 피난처로 삼아 주의 모든 행적을 전파하리이다"
시편 73:28

# 요셉의 삶을 통해 배우는 리더십

## 핵심 1. 꿈 넘어 꿈을 꾸는 사람이 되라

**창37: 5-10절**에서 요셉은 꿈을 꾼다. 열한 개의 곡식 단이 요셉의 곡식 단에게 경배를 하고 해와 달과 열한 별이 요셉에게 경의를 표하는 꿈이었다. 그리고 요셉은 그의 꿈을 아버지와 형들에게 말했다. 요셉이 꾼 꿈은 장차 되어 질 일을 하나님께서 상징적으로 미리 요셉에게 보여 주신 꿈이었다. 즉 하나님이 주신 꿈이었다. 요셉은 당시 아버지로부터 풍성한 사랑을 받으며 자랐다. 그래서 비싸고 귀한 채색 옷을 입을 수 있었다. 형들은 이런 요셉이 미웠다. 창세기 37: 23 절에서 형들이 요셉의 채색 옷을 벗기고 동생 요셉을 노예상인에게 팔아 넘겼다.

이 얼마나 끔찍한 일인가? 요셉은 아버지의 보호와 큰 사랑을 누리고 살다가 인신매매로 하루 아침에 노예로 어딘가로 끌려 가는 신세가 되었다. 상상도 하기 싫은 일이 발생했다. 그러나 필자는 다른 각도에서 요셉의 자란 배경을 생각해 보았다. 야곱은 하나님을 경외하는 사람이었다. 깊은 영성을 소유한 하나님의 사람이었다. 그래서 누구 보다도 요셉을 키우면서 하나님의 말씀으로 양육했을 것이다. 그리고 요셉에게 신본주의(하나님 중심의 삶)의 삶에 대해 철저하게 신앙교육을 했을 것이다. 그래서 요셉은 십대 후반의 나이였지만 이미 어린시절부터 철저한 신앙교육 훈련을 받았을 것이다.

그런데 요셉은 하나님의 섭리로 이집트 왕의 소유물을 맡은 직무 수생자요, 호위대장 보디발에게 팔리게 된다. 당시 보디발 호위대장은 이집트에 서열 3위의 거대 권력자였다.

**창39:2절**에 보면 주께서 요셉과 함께 계시므로 그가 형통한 자가 되었다. 주께서 요셉이 하는 모든 일을 형통하게 하셨다. 보디발은 자기의 모든 소유를 형통한 요셉의 손에 맡겼다. 그리고 보디발의 집과 소유를 감독하는 자로 세웠다. 그래서 형통한 삶을 사는 요셉 때문에 보디발 장군의 집에 덩달아 복이 임했다. 그 복은 집과 들에 있던 모든 소유에 임했다.

요셉 또한 이집트 라는 강대국가의 서열 3위의 권력을 가진 보디발의 집에서 총지배인으로 일할 때, 보디발의 집에는 나라의 크고 작은 일들을 경영하는 고관대작들(정치인, 군 지휘관들)이 드나들며 나라에 대해 논의를 하였을 것이다. 하나님의 지혜로 충만한 요셉은 어깨너머로 들려오는 국정에 관한 이야기를 들었을 것이다. 필자는 이것도 하나님께서 계획하신 섭리라고 생각한다. 역사를 운영하시는 하나님은 이미 요셉을 이집트라는 초 강대국가의 총리로 낙점해 놓고 있었던 것이다. 하나님은 요셉에게 한 나라를 다스릴 수 있는 준비를 미리 시키셨다.

### 핵심 2. 거룩을 사수하라

매일 형통한 삶을 살고 있는 소위 잘 나가는 요셉에게 위기가 찾아왔다. **창39:12절**에 보면, 요셉은 보디발 호위대장의 아내의 유혹을 뿌리치고 그의 옷을 잡아당기는 보디발의 아내의 손에 옷을 버려 두고 도망한다.

하나님의 임재로 충만한 삶을 살고 있는 요셉의 얼굴에서 이집트 남자에게서 찾아볼 수 없는 무언가 엄청난 매력이 뿜어져 나왔던 것 같다. 국가 서열 3위인 보디발 호위대장의 아내의 외모도 출중했을 것이다. 더군다나 보디발의 아내도 남편의 권력을 등에 업고 있어서 무시할 수 없는 권력의 힘을 행사할 수 있는 위치에 있었을 것이다. 그런 보디발의 아내가 요셉을 매일 같이 틈만 나면 유혹을 했다.

아마도 권력의 힘을 믿고 협박도 했을 것이라 필자는 생각한다. 그 어려운 순간을 요셉이 맞이했다. 현실과 본능에 타협할 것인가? 아니면 하나님께서 가르쳐 주신 하나님 나라의 가치관을 붙들고 타협하지 않고 끝까지 버틸 것인가? 요셉은 주인으로 섬기고 있었던 보디발과의 약속을 지키기 위해서 그리고 무엇보다 하나님께 죄를 범하지 않기 위해서 그는 성결과 거룩을 끝까지 목숨 걸고 사수하기로 결단하였다.

필자는 요셉이 보디발의 아내가 끊임없이 유혹을 했을 때, 보디발의 아내 얼굴을 절대 쳐다보지 않고 허리를 숙인 채 땅을 보고 대답을 했을 것이라 생각한다. 주인 보디발과 하나님과의 약속을 지키기 위해 최선을 다했을 것이다. 그는 유혹의 틈을 조금도 열어 주지 않기 위해 사력을 다했다.

유혹과 죄악으로 넘실대는 마지막 시대를 사는 그리스도인들도 요셉처럼 하나님 앞에서 거룩을 사모하고 성결을 사수해야 한다.

창39:20절에서 요셉은 노예의 신분이었지만 이집트 국가서열 3위의 집안을 관리하는 총괄 매니저로 발탁되어 나름 잘 나가는 인생으로 바뀌었나 싶었는데 억울한 누명을 쓰고 언제 사형당할지 모르는 죄수의 신분이 되어 감옥에 갇힌 최악의 인생으로 전락한다.

요셉은 채색 옷에서 노예 옷으로 다시 국가 서열 3위의 집 총지배인의 옷을 입고 있다가 죄수 옷으로 갈아 입게 되었다. 요셉이 입고 있던 옷이 마치 그의 인생 여정을 대변해 주는 것처럼 느껴진다.

그러나 놀라운 것은 창세기 39장 23절에 보면, 하나님께서 함께 하시니까 감옥에서도 요셉이 하는 일이 형통하였다. 그래서 창세기 39장 21절에서 주께서 간수의 눈앞에서 요셉에게 호의를 베푸셨다는 것을 보게 된다. 필자는 이 시대를 사는 모든 그리스도인들도 이 형통한 은혜를 경험하기를 바란다.

요셉은 감옥에서 왕 앞에 늘 알현했던 떡 굽는 관원장과 술 맡은 관원장을 만났다. 그들이 꾼 꿈은 요셉의 해몽대로 이루어졌다. 떡 굽는 관원장은 처형을 다했고 술 맡은 관원장은 다시 복직을 하였다.

**창세기 40장 13-14절**에 보면, 요셉이 술 맡은 관원장에게 "꿈 해몽대로 다시 복직 되어 왕 앞에 서게 되면 왕에게 자신의 일에 대해서 말해달라고" 부탁한다. 그러나 술 맡은 관원장은 요셉의 꿈 해몽대로 다시 복직이 되어 감옥에서 나가게 되었다. 그러나 그는 요셉을 기억하지 못하고 그를 잊어버렸다(창40:23).

우리도 살다 보면, 하나님을 믿고 의지하지만 권력이나 힘있고 돈 많은 사람을 더 의지하려 할 때가 있다. 요셉도 자신의 처한 상황이 너무 절박하다 보니 그런 심정이었을까? 그러나 일은 요셉의 뜻대로 되지 않았다. 술 맡은 관원장은 요셉을 기억 못하고 잊었다. 결국 인생의 길은 하나님께서 내시는 방법 밖에는 없다.

하나님의 때(카이로스)가 이르자 요셉의 인생이 반전에 반전을 거듭하는 일이 생긴다. 하나님께서 전격적으로 우리 인생 안으로 개입하시면 우리의 인생이 감옥안의 죄수의 신분에서 초 강대국 왕 다음의 서열 2위인 총리 신분으로 바뀐다. 우리의 인생이 한 순간 역전된다. 이것이 하나님의 일하시는 방법이고 은혜이다.

인간적으로는 희망의 빛도 없었던 요셉에게 꿈같은 일이 일어났다. **창 41장 14절**에서 자신이 꾼 꿈 때문에 몹시 괴로웠던 왕은 마침 요셉을 기억하게 된 술 맡은 관원장이 요셉에 대해서 왕에게 알렸고 왕은 명령을 내려 급히 요셉을 감옥에서 나오게 한다. 요셉은 수염을 깎고 또 한번 다른 옷으로 갈아 입게 되었다. 요셉은 하나님께서 주신 비상한 지혜로 이집트 왕의 꿈을 해몽한다. 왕은 꿈 해몽을 해준 요셉을 귀하게 보았다. 그리고 **창세기 41장 40-43절**에서 이집트 왕이 요셉에게 자기 손의 반지를 빼어 요셉의 손에 끼워 주고 그에게 고운 아마 옷(KJV 번역에는 Vestures of fine linen)을 입히며 금 사슬을 그의 목에 걸어 주고 요셉을 이집트 온 땅을 다스릴 치리자로 삼았다.

요셉의 인생에서 그의 옷이 바뀌는 것을 볼 수 있다. 옷 색깔과 옷의 종류가 그의 인생을 말해 주는 것처럼 보인다.

요셉은 채색 옷- 노예 옷- 서열 삼위 집안의 총지배인 옷- 죄수 옷- 이집트 최고 통치자의 옷을 입었다. 반전의 반전이 있는 삶이 요셉의 인생이었다. 하나님은 우리의 인생을 역전케 하시는 하나님이시다.

**시편 105편 17-22절**에서 우리는 요셉의 삶을 다시 마주하게 된다. 요셉이 감옥에 갇혀 있을 때 그의 발이 족쇄로 상했다는 것을 시편 105편 말씀을 통해 우리는 알 수 있다. 요셉의 고통이 극심했을 것이다.

그런데 하나님의 말씀이 임할 때까지 요셉은 고통 속에 있었다. 고통이 끝이 보이지 않던 어느 날 하나님의 말씀이 요셉에게 임했다. 그리고 그 말씀이 요셉을 단련하였다. 요셉은 죄수 신분으로 언제 죽을지 모르는 그리고 족쇄로 고통 당하는 극한의 상황을 그에게 임한 하나님의 말씀으로 이겨냈다. 하나님의 말씀이 그를 강하게 단련하였다.


**'그분께서 한 사람을 그들보다 앞서 보내셨으니 곧 요셉이라. 그가 종으로 팔렸도다. 그들이 그의 발을 족쇄로 상하게 하고 쇠 안에 넣어 두되**

그분의 말씀이 임할 때까지 그리하였도다. 주의 말씀이 그를 단련하였도다. 왕이 사람을 보내어 그를 석방하였으니 곧 백성의 치리자가 그를 자유로이 가게 하며 그를 자기 집의 주로 삼고 자기의 모든 재산을 관리하는 자로 삼아 그가 기뻐하는 대로 자기의 통치자들을 속박하며 자기의 원로들에게 지혜를 가르치게 하였도다.'

시편 105편 17-22절

어떤 시련이 닥쳐도 하나님의 말씀이 우리를 강하게 단련하여 이겨내게 할 것이다. 그리스도인들은 인생을 가꾸는 중요한 핵심 중 하나인 성결 한 삶을 사수해야 한다. 이것은 영향력 있는 리더십 개발의 핵심 이기도 하다. 그리고 부지런히 성경을 읽고 묵상해야 한다. 요셉처럼 그 말씀을 붙잡고 인생을 살아야 하고 이겨내야 한다. 하나님 아버지는 우리의 삶에 개입하셔서 결국 우리의 인생을 반전시키실 것이다. 우리의 의복을 가장 영광스러운 옷으로 바꾸어 입혀 주실 것이다.

"그분께서 한 사람을 그들보다 앞서 보내셨으니 곧 요셉이라. 그가 종으로 팔렸도다. 그들이 그의 발을 족쇄로 상하게 하고 쇠 안에 넣어 두되 그분의 말씀이 임할 때까지 그리하였도다.
주의 말씀이 그를 단련하였도다."
시편 105편 17-19절

## 모세의 삶을 통해 배우는 리더십

모세는 이스라엘 백성을 위하여 하나님께서 특별히 출생부터 섭리하시고 모세의 인생 여정 한 가운데서 그를 훈련하시고 다듬어 세운 이스라엘의 지도자였다. 하나님은 모세의 생애를 붙드시고 당신의 계획에 따라 지도자 훈련코스에 모세를 집어넣어 그를 결국 사용하셨다.

태어나자마자 애굽 왕의 명령에 따라 죽임을 당 했어야 할 모세를 하나님은 애굽 왕국의 공주에 눈에 발견되게 하시어 나일강에서 살려 내셨고 공주의 양자가 되어 왕족의 신분으로 40년간을 이집트 왕궁에서 최상류층이자 최고 권력자 중 한 사람의 신분이 되게 하시어 이집트 왕국의 최고의 학문과 학식을 섭렵하고 누리게 하시면서 지도력을 준비시키셨다.

사도행전 7장 22절은 "모세가 애굽 사람의 학술을 다 배워 그 말과 행사에 능하더라."라고 말하고 있다.

모세는 왕궁에서 자랐지만 어머니 요게벳을 통해 자기가 히브리 사람인 것을 알게 되었다. 노예로 힘겹게 살아가는 히브리 민족을 위해 무언가를 공헌할 수 있을 것 같은 가장 힘있는 자리에서 그 힘과 권력으로 무언가를 할 수 있는 위치에 있을 때 하나님은 그를 미디안 광야로 내보내셨다. 애굽인을 죽인 것이 발각되자 애굽(이집트)의 왕이 무서워 도망한 것이지만 이 사건조차 모세를 훈련을 하시고 다듬어 가시고자 의도하신 하나님의 깊으신 경륜과 섭리 속에서 이루어진 것이었다. 모세는 미디안 광야에서 40년을 지내면서 왕족신분의 기풍 있던 모습은 없어졌을 것이고 이집트 사람들이 가증하게 여기는(창 46:34절)목동의 신분으로 볼품없이 꿈도 야망도 없이 목동의 삶을 매일같이 살아가야 했을 것이다.

미디안 광야 생활의 관점에서 지난 왕궁에서의 40년을 바라보면 모세가 배우고 경험했던 왕궁에서의 모든 것이 결국 헛것이었다고 평가할 수 있으나 하나님은 모세가 배우고 경험한 모든 것을 결국 사용하시어 앞으로 모세를 장정만 60만 명 그리고 200만 명이 넘는 이스라엘 백성을 애굽에서 인도해 낼 지도자로 만들어 가고 계셨던 것이다.

전에는 최고의 신분이어서 강대한 애굽 군대까지도 움직일 수 있는 강대한 권력이 있었다. 그가 왕궁에서 왕자의 신분이었기에 군 최고 통치권자로의 훈련도 받았을 것이다. 그런 모세가 군인이 아닌 양떼를 지키는 목자의 경험도 40년간이나 하였다. 그는 또한 거친 광야의 환경에서 생존하고 살아가는 방법을 경험을 통해서 알고 있었다.

하나님은 모세가 배우고 경험했던 것을 자신의 힘이 아닌 하나님을 통해서 그리고 하나님과 함께 사용하기를 원하셨다. 그래서 모세를 이끄시고 다듬어가고 계셨던 것이다. 그러기에 모세는 광야에서 하나님의 음성을 부단히 듣는 훈련을 해야 했다.

광야의 환경은 거칠다. 힘들고 외로울 수 있는 곳이다. 적막하다. 고요하다. 매일 자신과만 대화할 수 있는 곳이다. 사람들로 붐비는 곳이 아니기 때문이다. 모세는 이런 곳에서 40년을 살아야 했다. 그러나 그것도 기약이 없었다. 광야는 하나님께서 말하시는 장소, 하나님께서 자신의 가장 중요한 메시지를 우리에게 전달하시는 장소다. 이런 광야의 경험이 없다면, 각자에게 들려주시는 하나님의 음성을 듣지도 깨닫지도 못하며 살아 갈 수밖에 없을 것이다.

모세는 어릴 적부터 어머니로부터 하나님에 대한 신앙을 가져왔기에 그는 광야에서 창조주 하나님에 대해 생각하며 살았을 것이다. 광야는 하나님의 음성만 들을 수 있고, 그분의 생각들을 받아들이는 곳이기에 지도자와 모든 그리스도인들이 인생을 살아가면서 잠시라도 머물러야 할 곳이다. 하나님의 때가 차매 하나님이 떨기나무 불꽃 가운데 나타나셔서 모세를 부르셨다. 모세는 즉시 "내가 여기 있나이다."(출 3:4절)라고 응답하였다. 모세가 자연스럽게 하나님의 부르심에 응답할 수 있었던 것은 40년 동안의 미디안 광야 생활을 통해 하나님과의 영적 교통이 이미 있었기 때문이다. 모세는 척박한 광야 생활 내내 하나님과의 생동감 있는 교제를 누리고 있었다.

하나님은 황량한 광야에서 모세에게 하나님의 때를 기다리며 인내하는 훈련을 시키셨다. 인간에게는 무의미하게 보낸 40년일지 몰라도, 하나님에게는 결코 헛된 시간이 아니었다. 모세가 미디안 광야에서 40년 동안 배운 지도자훈련은 결국 이스라엘 백성들을 섬기기 위한 중요한 훈련이었다.

모세가 이스라엘 백성들을 이끌고 고된 기나긴 40년을 광야생활을 이끌 수 있었던 것은 바로 이때 받은 훈련 때문이었을 것이다. 모세가 지도자로 세워지는 과정을 보면 지도자는 결코 값싸게 세워지지 않고 값비싼 고난과 역경을 통해서 세워진다는 것을 알 수 있다. 이 과정에 하나님의 절대 주권의 힘이 개입하기 때문이다.

큰 승리는 어느 한 순간에 갑자기 찾아오는 것이 아니라, 크고 작은 어려운 역경의 과정을 거쳐 준비된 사람에게 찾아온다. 이처럼 하나님의 역사에 쓰임 받기 위해서는 반드시 준비와 훈련의 과정이 필요하다. 모세는 바로 왕궁에서의 생애 첫 40년과 광야에서의 40년, 전체 80년이라는 시간 동안 지도자로서 필요한 것들을 갖추는 준비와 훈련의 과정을 통과했다. 모세의 생애를 통해 알 수 있듯이 하나님은 당신의 사람을 훈련을 거쳐 만들고 세우신다는 것이다.

모세를 통해서 배우는 인생경영은 다음과 같다.

### 핵심 1. 하나님 나라를 바라보며 사는 주 바라기의 삶을 살라

히브리서 11장 24-27절은 "믿음으로 모세는 장성하여 바로의 공주의 아들이라 칭함을 거절하고 도리어 하나님의 백성과 함께 고난 받기를 잠시 죄악의 낙을 누리는 것보다 더 좋아하고, 그리스도를 위하여 받는 능욕을 애굽의 모든 보화보다 더 큰 재물로 여겼으니 이는 상 주심을 바라봄이라. 믿음으로 애굽을 떠나 임금의 노함을 무서워 아니하고 곧 보이지 아니하는 자를 보는 것같이 하여 참았으며." 모세는 화려하고 안락한 왕궁생활 보다 오히려 하나님의 백성들과 함께 고난 받는 것을 더 좋아했다.

모세는 비록 당시 화려했던 애굽의 물질문명 속에서 살고 있었지만 하나님 나라를 바라보며 구별된 삶을 살려고 노력했던 것을 볼 수 있다. 이런 인생경영은 변화무쌍하고 유혹 많은 세상 속에서 끝까지 진리의 길을 갈 수 있도록 지켜주는 버팀목이 된다. 모세는 세상이 날 버려도 주 하나님은 나를 절대 포기하지 않으시고 붙들어 주신다는 이 믿음 가지고 주님 한 분 바라보고 사는 주 바라기 인생을 살았다.

### 핵심 2. 하나님의 부르심에 대한 분명한 소명을 가지고 살라

40년 동안 무명의 삶으로 지냈던 모세에게 하나님은 소명을 주신다. 하나님은 모세를 찾아오셔서 친히 그를 부르시고 사명을 주심으로써 그가 하나님의 소명에 대한 분명한 확신을 갖도록 도우셨다. 하나님은 모세가 '하나님의 산'이라 불리는 호렙산에 이르렀을 때, 떨기나무 불꽃 가운데서 그에게 나타나시어 모세를 부르셨다(출 3:1-2). 모세는 기나긴 40년 간의 미디안 광야 생활 끝에 하나님과의 만남을 통해 소명을 받게 되었다. 하나님의 소명에 대한 확신을 얻기 위해 반드시 하나님과의 만남이 있어야 한다. 하나님께서 모세에게 주신 사명은 구체이고 분명했다. **출애굽기 3장 10절**에 보면 하나님은 모세에게 "이제 내가 너를 바로에게 보내어 너로 내 백성 이스라엘 자손을 애굽에서 인도하여 내게 하리라" 고 말씀하시면서 구체적으로 모세를 부르시어 사명을 맡기셨다.

그리스도인들은 하나님의 분명한 소명을 확인하고 전능하신 하나님의 능력을 믿고 나갈 때 비로소 영향력 있는 삶(Kingdom Impact)을 발휘할 수 있다.

### 핵심 3. 하나님과의 친밀한 교제가 있는 삶을 살라

하나님의 자녀들에게 하나님과의 친밀한 교제는 무엇보다도 중요하다. 모세는 이 부분에 있어서 본을 보여준다. 모세는 하나님과 친밀한 교제를 갖고 있었던 지도자였다.

**출애굽기 33장 11절**은 모세에 대해 이렇게 말했다. "사람이 그 친구와 이야기함 같이 여호와께서는 모세와 대면하여 말하시며."

**민수기 12장 8절**에는 "그와는 내가 대면하여 명백히 말하고 은밀한 말로 아니하며 그는 여호와의 형상을 보겠거늘 너희가 어찌하여 내 종 모세 비방하기를 두려워 아니하느냐."라는 대목이 있다.

**신명기 34장 10절**에는 "그 후에는 이스라엘에 모세와 같은 선지자가 일어나지 못하나니 모세는 여호와께서 대면하여 아시던 자요."

**출애굽기 34장 29절**에 "모세가 그 증거의 두 판을 자기 손에 들고 시내 산에서 내려오니 그 산에서 내려올 때에 모세는 자기가 여호와와 말씀하였음을 인하여 얼굴 꺼풀에 광채가 나나 깨닫지 못하더라." 모세 얼굴의 이 광채로 인해 아론과 온 이스라엘 자손은 모세를 가까이하기를 두려워하고, 이 때문에 모세는 수건을 취하여 자기 얼굴을 가릴 수밖에 없었다(출 34:30-35절).

이처럼 모세는 하나님과 친밀한 교제를 나누었던 삶을 살았다.

하나님과의 친밀함을 하나님의 자녀들은 평생에 걸쳐 유지해야 한다. 주님의 음성 듣기를 즐거워하고 하나님의 뜻을 즐거이 행하며 오직 하나님 밖에는 없다고 고백하며 하나님을 가까이하는 그리고 하나님과 함께 동행하는 여주동행(與主同行)의 삶을 누릴 수 있어야 한다.

하나님과의 친밀한 교제를 잃어버린 그리스도인들은 세상에서 더 이상 선한 영향력을 발휘할 수 없다. 평생에 걸쳐 하나님과의 친밀한 관계를 유지했던 모세의 인생경영을 통해 우리도 모세처럼 하나님을 더 가까이하는 삶을 살기를 실천해야 함을 배운다.

### 핵심 4. 성숙한 인격에 바탕을 둔 삶을 살라

존 맥스웰은 그의 책 '리더십 불변의 법칙'에서 진정한 리더십은 언제나 내적 성품에서 출발한다고 말하면서 성품의 중요성을 강조하였다. 성숙한 인격을 그리스도인들은 시간이 지날수록 더욱 진한 향기가 난다. 품성은 중요한 요소이다.

**민수기 12장 3절**에 "이 사람 모세는 온유함이 지면의 모든 사람보다 승하더라." 성경은 모세의 온유함이 지면의 모든 사람보다 승하더라고 평가하고 있다. 모세는 내적으로 성숙한 품성이 준비된 하나님의 사람이었다. 모세의 인격은 하나님께서 모세의 전 생애를 통해 다듬고 훈련한 훈련의 작품이다.

"하나님은 모세가 경험했던
모든 것을 다 재료로 사용하시어
그를 지도자로 세우셨던 것처럼, 하나님은 동일하게
당신이 경험한 모든 것을,
그것이 좋았던 것이든
기억하고 싶지 않은 실패나 아픈 경험이든
당신의 모든 것을 다 사용하실 것이다.
그래서 결국 당신을 하나님 나라의 소중한 사람으로,
지도자로 세우실 것이다.
우리의 인생을 붙드시고
반전케 하시는 하나님과 긴밀하게 동행하는
여주동행(與主同行)의 삶을 누리라."

## 사도 바울의 삶을 통해 배우는 리더십

바울은 위대한 사도였다. 기독교 역사에 끼친 그의 영성과 지도력과 영향력은 지대했다. 사도 바울은 변증가였고(행17: 18-34절) 설교자였다(행19:10절). 그는 또한 천막을 만드는 장인이었다. 그의 일터는 제자를 길러내는 현장이었다(행18;3), 그는 생업의 현장에서 아굴라와 브리스길라 그리고 수많은 사람들을 복음의 일꾼으로 길러낸 지도력을 지니고 있었다. 사도 바울의 주를 향한 열정, 인격, 깊은 영성, 설교, 타 문화 속에서의 커뮤니케이션 능력, 제자훈련, 목회적 지도력은 모든 그리스도인들이 닮고 배워야 할 리더십의 지침이다.

하나님께서 어떻게 그를 다루셨고, 어떻게 훈련을 시켜서 그를 세우셨는지 그리고 바울의 리더십의 특징은 어떤 것인지에 대해 초점을 맞추어 살펴보자.

바울은 유대인으로서 길리기아의 수도인 다소에서 출생했으며(행 21:39절) 베냐민 지파에 속하였고(빌 3:5절), 히브리 신앙의 규율 안에서 성장했다. 그는 바리새인 중에 바리새인이었고(행 23:6절), 로마의 시민으로 태어나 좋은 환경 속에서 자랐다. 그는 어렸을 때 예루살렘에 가서 당대의 석학이었던 가말리엘의 문하생으로 엄한 교육을 받은 히브리인중에 히브리인으로서 하나님에 대해서는 열심히 있었다(행 22:3절). 바울은 풍부한 학식과 총명을 가지고 헬라의 문화와 철학을 배웠다. 그러나 바울은 학식과 총명과 열심을 등에 업고 주님을 믿는 사람들을 괴롭히고 핍박하는데 앞장서게 되었다. 바울은 스데반이 예수를 증거하다가 돌에 맞아 순교하는 현장에 있었으며(행 7:54-60절), 스데반의 죽음을 당연한 것으로 여겼고(행 8:1절, 3절), 기독교인들을 핍박하는 일이 자기의 의무라고 생각했다. 그래서 누구보다도 이 일에 열심을 냈다.

그러던 예수님은 다메섹 도상에 있던 그에게 찾아가셨다. 그 자리에서 바울은 회심하여 예수님을 평생의 주인으로 모시게 된다(행 9:3-19절). 바울은 사도로서의 사역을 시작하면서 온갖 고난과 핍박, 죽음(행 9:20-25절)의 위기를 극복하면서 제1차 전도여행(행 13:2-14:28절), 제2차 전도여행(행 15:36-18:22절), 제3차 전도여행(행 18:23-21:14절)을 거쳐서 순교에 이르기까지 복음의 사명을 감당했다.

하나님은 사도 바울을 영향력 있는 지도자로 세우시려고 사도 바울의 인생 여정 한 가운데서 그를 훈련하셨고 그를 지도자로 세워 가셨다.

필자는 바울에게서 배워야 할 리더십의 핵심을 다음과 같이 정리해 보았다.

### 핵심 1. 영적 리더십을 개발하라

사도 바울의 리더십에 있어서 중요한 특징은 그가 영적 리더십을 가졌다는 것이다. 그리고 그의 영적 리더십은 기독교인을 핍박했던 그가 주께로 회심한 이후에 하나님께서 주신 소명에 기초를 두고 있다. 그는 이방인의 사도로 부르심을 받은 이 소명에 집중하였고 순종하였다.

그리고 사도 바울이 이 소명을 붙들 수 있었던 원동력은 하나님과의 생동감 있고 친밀한 영적 교제가 있었기 때문이다. 갈라디아서 1장 17절에서 바울은 다메섹 도상에서 예수님을 만난 후에 "사도 된 자들을 만나려고 예루살렘으로 가지 아니하고 오직 아라비아로 갔다"라고 말하고 있다.

그는 사람보다도 하나님과의 친밀한 교제를 더 우선시하였고 또 아라비아에서 하나님과 깊은 교제의 시간에 집중했고 이 훈련의 시간을 통해서 영적 지도자로 거듭나게 되었다. 그리스도인들에게 이런 시간이 필요하다. 골방에 들어가 혹은 광야로 나아가 조용히 자신의 삶을 돌아보고 주님으로부터 듣는 훈련이 필요하다. 아침에 일어나서 저녁에 취침할 때까지 내가 무얼 듣고 또 무얼 보고 살았는지? 우리는 실시간으로 휴대폰으로 뉴스와 잡다한 세상 이야기들을 보고 듣고 그렇게 살고 있지는 않은지? 여러 매체를 통해 흘러나오는 남의 이야기들을 하루 종일 듣고 살다 보니, 정작 돌보고 가꾸어야 할 '나'의 삶 정원은 방치된 채로 있을 수 있다. 그래서 바울처럼 의도적으로 나를 조용한 광야로 데려가 주님의 음성을 들어보고 또 나를 보듬고 나의 삶을 정원을 가꾸어 하나님께서 원하시는 삶을 살아가야 한다.

갈라디아서 서신서의 사도바울의 고백은 하나님과의 영적 친밀함의 정수라 볼 수 있다. 즉 **"내가 그리스도와 함께 십자가에 못박혔나니 그런즉 이제는 내가 산 것이 아니요 오직 내 안에 그리스도께서 사신 것이라 이제 내가 육체 가운데 사는 것은 나를 사랑하사 나를 위하여 자기 몸을 버리신 하나님의 아들을 믿는 믿음 안에서 사는 것이라"**(갈라디아서 2: 20절). 회심한 이후에 바울은 예수 그리스도와 영적합일의 삶을 체험하였다. 이제 사도 바울의 일이 주님의 일이 되었다. 주님과의 영적합일의 삶이 바울의 영적리더십의 핵심이었다. 우리 그리스도인들도 예수 그리스도와 연합되어 있기에 우리의 관심사가 곧 주님의 관심사가 된다. 나의 아픔이 곧 주님의 아픔이요 나의 기쁨이 곧 주님의 기쁨이다. 하나님 아버지는 내 삶의 모든 영역에 관심을 갖고 계시는 분이시다. 나는 약하지만 그 분이 강하시기에 반전이 있는 인생 또 역전의 인생을 살 수 있는 것이다.

사도 바울의 영적 리더십은 말씀을 전하거나 이방인들에게 복음을 전할 때 제자를 양육할 때 그리고 사역 전반에 영향력을 주었다.

## 핵심 2. 함께 일할 동역자와 리더를 양성하라

우리는 떠나도 하나님의 일은 계속 진행되기 때문에 하나님의 사람들로 키우고 양성해서 이 시대와 세상 안에서 하나님 나라가 계속 확장되어 가고 하나님 나라의 영향력이 사회 모든 영역에서 발휘될 수 있게 해야 한다.

바울은 수많은 지도자들을 세운 지도자였다. 지도자가 다음 지도자를 세우지 못하면 그것처럼 불행은 없다. 오늘날 정치, 회사, 교회, 기독교 기관 등 거의 전 분야에 걸쳐서 지도자들이 다음 지도자를 잘 세우지 못해 공동체와 조직이 와해되는 일들을 쉽게 접하게 된다. 지도자의 위치에 있을 때 자신의 자리와 이익을 위해서 따르는 사람을 이용하거나 추종자를 만들려 해서는 안된다. 함께하는 사람을 예비 지도자로 생각하고 돕고, 길을 열어 주고, 징검다리가 되어 주고, 지혜를 나누고 또 필요한 자원을 공급해 주거나 연결시켜 주면서 자신을 대신할 사람으로 세워가야 한다.

가장 효과적인 리더십을 발휘하려면 리더는 좋은 인재들을 발굴하고 그들을 주위에 두는 일에 소홀해서는 안 된다. 바울은 자기 혼자만이 아니라 다른 사람에게 일과 책임을 분담시키는 위임의 기술을 사용했고 새로운 리더를 계속 개발시켰음을 확인할 수 있다. 바울은 디모데와 디도를 비롯한 많은 감독과 집사들을 세워 그들을 가르쳐 복음 사역을 감당하게 하였다. 지도자는 하나님의 사람을 길러내고 또 그들과 더불어 일하고 그들을 당신을 대신할 사람으로 세워가야 한다.

**"또 네가 많은 증인 앞에서 내게 들은 바를 충성된 사람에게 부탁하라 저희가 또 다른 사람을 가르칠 수 있으리라"**

**디모데 후서 2:2**

바울은 자신도 그렇게 했지만 자신이 세운 제자에게도 자신과 같이 다음세대를 준비하는 리더가 되도록 그들을 훈련하였다. 바울은 가는 곳마다 사람들을 모아 놓고 가르치는 일에 집중하였다. 바울은 사람을 길러 내는 일에 시간과 에너지를 투자했다. 다음 세대를 길러내고 양성하는 일은 지속적이었다. 그의 사역을 통해서 교회는 크게 부흥하고 성장했다.

지도자는 자기의 위대함을 나타내는 사람이 아니라 남의 위대함과 성공을 보여주는 사람이라고 할 수 있다. 타인의 가능성을 최대한 발휘할 수 있도록 길을 열어주고 다리를 만들어 놓는 사람이 바로 지도자이다.

이 어두운 시대, 어두운 세상에서 그리스도인들은 부지런히 하나님의 사람들을 길러 내야 한다. 그래야 예수 생명 공동체가 건강하게 자라고 또 세상에 선한 영향력을 줄 수 있기 때문이다.

### 핵심 3. 하나님 사랑, 이웃 사랑을 실천하라

바울은 사랑의 사도였다. 그는 사랑의 리더십을 갖고 있던 지도자였다. **사도행전 20장 34절**에서 바울은 "삼 년이나 밤낮 쉬지 않고 눈물로 각 사람을 훈계하였다"고 고백하였다. 바울이 다메섹 도상에 예수님을 만난 후에 그는 예수님의 사랑과 은혜에 사로잡힌 인생을 살았다.

바울은 예수님의 가르침을 가장 잘 이해한 사도였다. 예수님은 사랑의 중요성을 강조하였다(마22: 37-39, 요15: 9절). 이런 예수님의 가르침을 바울은 온전히 실천하였다. 바울은 **고린도 후서 2장 4절**에서 "...오직 내가 너희를 향하여 넘치는 사랑이 있음을 너희로 알게 하려 함이라"라고 말한다. 고린도 전서 13장을 보라. 대표적인 사랑장이다. 바울은 믿음, 소망, 사랑 중에 제일이 사랑이라고 강조하였다. 이처럼 사랑의 영향력은 바울에게 있어서 그리고 성경이 제일 강조하는 리더십의 핵심이다.

바울은 눈물의 지도자였다. **사도행전 20장 31절**에서 바울은 에베소 교회에서 눈물로 양들을 돌본 눈물의 지도자였다. 영혼을 돌보며 흘리는 목회자의 눈물은 보석과 같다. 이 눈물이 제자들을 길러내고 그들을 빛나게 만들었다.

**"나의 자녀들아 너희 속에 그리스도의 형상이 이루기까지 다시 너희를 위하여 해산하는 수고를 하노니"** 갈라디아서 4:19

**"우리가 이같이 너희를 사모하여 하나님의 복음으로만 아니라 우리 목숨까지 너희에게 주기를 즐겨함은 너희가 우리의 사랑하는 자 됨이라"** 데살로니가전서 2:8

**"그러므로 나의 사랑하고 사모하는 형제들, 나의 기쁨이요 면류관인 사랑하는자들아 이와 같이 주안에 서라"** 빌립보서 4:1

사랑의 영향력이 예수 공동체 안에서 영향력을 발휘할 때 공동체는 건강하게 자란다. 바울의 사랑의 영향력은 우리에게 자신의 전부를 다 내어 주신 예수님의 아가페 사랑에서 배운 것이었다. 예수님은 자기의 사람들을 지극히 사랑하셨다(요 13:1절). 그리스도인들의 지도력은 바울과 같이 하나님 사랑과 이웃 사랑의 실천에 기초해야 한다. 사랑의 영향력은 사람을 변화시키고 공동체와 조직을 건강하게 성장시키기 때문이다.

함께 사랑하고 함께 돕고 함께 세워갈 때 모든 어려움을 함께 극복해 갈 수 있다. 함께 하면 멀리 갈 수 있다.

## 핵심 4. 본을 보이라

바울은 디모데전서 4장 12절에서 "**누구든지 네 연소함을 업신 여기지 못하게 하고 오직 말과 행실과 사랑과 믿음과 정절에 대하여 믿는 자에게 본이 되라**"고 말하였다.

군림이나 독재가 아니라 삶으로 본을 보이는 방식이야 말로 성경이 말하는 리더십의 정수이다. 우리는 때로는 권위를 의심받거나 위협을 당하거나 저항을 겪을 때 인위적으로 나를 증명해 보이려는 유혹을 크게 받는다. 하지만 그리스도인들은 그런 유혹에 저항해야 한다. 그래서 그리스도인들은 말과 행실이 일치하는 삶을 살아야 한다. 많은 말보다 삶으로 보여줄 수 있어야 한다. 참된 영향력은 존재(Being)로 부터 흘러나오기 때문이다. 그 됨됨이가 그 인성이 그 인품이 삶과 일과 사역을 증명해 준다.

하나님의 사람들은 성령의 열매가 있어야 하는 사람들이다. 갈라디아서 5장 22절, 23절에서는 성령의 열매는 '**사랑, 기쁨, 화평, 오래 참음, 부드러움, 선함, 믿음, 온유, 절제**' 라고 말하고 있다. 그리고 이 같은 것을 대적할 법이 없다고 말한다. 성령의 열매가 있으면 '나'라는 존재로부터 자연스럽게 영향력이 흘러나온다. 하나님 말씀에 깊이 뿌리를 내리고 그 말씀에 다스림을 받으며 그 말씀에 순종해 가도록 작은 영역부터 나를 훈련하면 성령님께서는 도우시고 성령의 열매가 내 삶의 정원에 맺어지게 하실 것이다.

**"형제들아 너희는 함께 나를 본받으라 그리고 너희가 우리를 본받은 것처럼 그와 같이 행하는 자들을 눈여겨 보라"** 빌립보서3:17

지도자는 본을 보이는 사람이다. 바울은 본을 보이면서 하나님 나라의 영향력을 발휘하였다. 본을 보이는 삶은 강력한 영향력을 끼친다.

바울처럼 이 시대를 사는 지도자들과 그리스도인들은 믿음, 사역, 가정, 인간관계, 일터의 현장에서 본을 보이는 삶을 살아야 한다. 그럴 때 이 세상에서 하나님 나라의 영향력을 강력하게 발휘할 수 있기 때문이다.

"지도자는 자기의 위대함을 나타내는 사람이 아니라
남의 위대함과 성공을 보여주는 사람이라고 할 수 있다.
타인의 가능성을 최대한 발휘할 수 있도록
길을 열어 주고 다리를 만들어 놓는 사람이
바로 지도자이다."

# 예수님을 통해서 배우는 리더십

4복음서는 예수님의 리더십의 모범들로 가득 차 있다.

예수님의 리더십의 핵심은 세상에 하나님 나라의 영향력을 줄 수 있는 제자를 만들어 내는 것이다. 예수님은 분명한 목적을 갖고 계셨다. 그것은 만민에게 복음을 전하는 것이었다. 예수님은 제자들과 함께 지내셨다(요 16:9절). 예수님은 제자들과 함께 먹고 함께 자면서 훈련하시고 교육하셨다. 삶 전체를 나누는 교제를 통해서 제자들을 하나님 나라의 일꾼으로 만들어 가셨다. 예수님의 성육신적인 삶은 최고의 리더십의 모델이다.

예수님은 전략을 가지고 진행하셨다. 복음서에서 나타난 예수님의 리더십에서 필자가 주목한 것은, 예수님은 선택, 함께하심, 헌신, 사역을 나누어 주심, 시범을 보이심, 위임, 감독, 재생산에 집중하셨다는 점이다.

예수님의 삶을 통해서 우리가 배워야 하는 리더십의 핵심은 다음과 같다.

**핵심 1. 수용성 있는 소수의 사람들을 동역자로 세우라**
**"갈릴리 해변에 다니시다가 두 형제 곧 베드로라 하는 시몬과 그의 형제 안드레가 바다에 그물 던지는 것을 보시니 그들은 어부라 말씀하시되 나를 따라오라 내가 너희를 사람을 낚는 어부가 되게 하리라 하시니 그들이 곧 그물을 버려 두고 예수를 따르니라"**

마태복음 4:18-20

예수님은 제자들을 선택하셨다. 그리고 제자들은 모든 것을 내려놓고 즉시 주님을 따랐다(마 4:18-22; 마 9:9). 예수님의 사역에 있어서 중요한 부분은 예수님 자신이 아버지께로 되돌아 가신 후 그의 생애를 증거하고 하나님 나라의 일을 계속할 수 있는 사람들을 선택하는 일이었다. 주님의 제자들은 평범한 사람들이었다. 세금 걷는 일이나 또는 물고기 잡는 어부라는 직업에 필요한 지식 외에는 전문적인 훈련도 받지 않았을 것이다. 대부분은 갈릴리 호수 주변의 가난한 지역에서 자라났다. 무언가 앞으로 큰 인물이 될 것 같은 특출한 사람이나 매력적으로 보이는 사람들이 아니었다. 도시에 살면서 돈도 있고 적당한 권력도 가지고 있고 또 문화나 학식을 겸비한 세련되고 품위 있는 사람들과는 거리가 먼 사람들이었다.

그러나 투박하고 조금은 거칠고 무식한 사람일 수 있으나 단순한 매력이 있는 사람들이었을 것이다. 주님이 동역자들로 택한 이 사람들은 세상의 눈으로 볼 때는 위대한 일을 할 수 있는 사람들로 기대하기 어려운 사람들이었다. 그러나 이 사람들은 배움의 자세를 가진 사람들이었다. 배움에 있어서 수용적인 사람들이었다. 우리가 자신을 볼 때 내 존재가 존재감이 없어 보이고 초라해 보일 수 있다. "나 같은 사람이 큰 일을 할 수 있을까? 나는 재목감이 아니야" 라고 스스로를 낮게 평가할 수도 있다. 그러나 분명한 사실은, 하나님이 우리의 인생을 다듬고 만드시면 하나님의 사람으로 만들어 진다는 것이다. 이것이 은혜요 신비다. 열린 마음으로 오직 말씀만 붙잡고 예수 그리스도만을 따르라. 그러면 그 분이 당신의 삶을 다듬어 하나님 나라의 해 같이 빛나는 존재로 이끌어 주실 것이다.

**"형제들아 너희를 부르심을 보라 육체를 따라 지혜로운 자가 많지 아니하며 능한 자가 많지 아니하며 문벌 좋은 자가 많지 아니하도다. 그러나 하나님께서 세상의 미련한 것들을 택하사 지혜 있는 자들을 부끄럽게 하**

려 하시고 세상의 약한 것들을 택하사 강한 것들을 부끄럽게 하려 하시며 하나님께서 세상의 천한 것들과 멸시받는 것들과 없는 것들을 택하사 있는 것들을 폐하려 하시나니 이는 아무 육체도 하나님 앞에 자랑하지 못하게 하려 하심이라"

**고린도전서 1:26-29**

예수님은 제자들을 부르사 그 중에서 열 둘을 택하여 사도로 칭하셨다(눅 6:13-16절). 그리고 자신의 전 사역을 그들에게 집중하셨다. 예수님은 자신의 전부를 내어 주시는 아가페 사랑을 품고 계신 분이시다. 자신의 생애를 다 내어 주시는 분이시다. 그러기에 당신의 백성들의 필요를 알고 채워 주시는 것을 잊지 않으신다. 예수님은 그를 따르는 많은 무리들을 먹이시고 돌보시는 일들도 잊지 않으셨다(마 14;13-21절). 천국 복음을 전파하시며 모든 병과 약한 것을 고치셨다. 또 귀신들을 쫓아내셨다(마 4:23-24절). 함께 아파하셨고 함께 우셨다(요11:34-35절).

주님은 자신을 대신하여 하나님 나라의 일을 하는 소수의 사람들을 양육하여 그들을 통하여 열방이 구원을 받을 수 있도록 계획하셨다. 그리고 그렇게 이끌어 주셨다. 한 사람이 중요하다. 그 한 사람을 통해 한 민족과 열방이 돌아올 수 있기 때문이다. 예수님은 제자들이 예수 생명 공동체로 세워져 세계 선교의 기둥이 되기를 소망하셨다. 이 소수의 무리를 통해 세계선교가 시작될 수 있다는 것을 주님은 아셨다.

다중을 겨냥하기 보다도 수용성 있는 소수에 집중해야 한다. 한 사람이라도 하나님의 사람으로 양성하고 훈련하는데 집중해야 한다. 작은 예수 생명 공동체를 곳 곳에 만들어 가야 한다.

## 핵심 2. 맡겨 주신 사람들과 일에 사랑과 생애를 쏟아라

**"유월절 전에 예수께서 자기가 세상을 떠나 아버지께로 돌아가실 때가
이른 줄 아시고 세상에 있는 자기 사람들을 사랑하시되
끝까지 사랑하시니라" 요한복음 13:1**

예수님은 제자들과 생애를 나누는 살아 있는 교제를 하셨다. 예수님은 자기 사람들을 끝까지 사랑하셨다. 예수님은 이 책을 읽고 있는 당신도 끝까지 사랑하신다. 우주 만물의 창조주 하나님이 나를 끝까지 사랑하고 계신다는 것만큼 위로가 되고 또 내 인생을 든든하게 하는 것은 없다. 예수님은 제자를 사랑하고 섬기는 일들은 예수님 존재로부터 자연스럽게 흘러나왔다. 억지나 인위적인 것이 아니었다. 예수님은 함께 하심으로 생생한 입체적인 교육을 하셨다. 예수님이 함께 하시면서 사랑의 본을 보여주는 것이 최고의 훈련 방법이었다.

예수님은 제자들을 함께 할 가족 공동체로 부르셨다. 그리고 부르신 목적을 알려 주셨다. 그리고 부르신 제자들과 삶을 나누셨고 그들을 끝까지 사랑하셨다.

**"예수님께서 그들에게 이르시되, 너희는 나를 따라오너라 내가 너희를 사람을 낚는 어부가 되게 하리라". 마가복음 1:17**

예수님은 그들과 함께 생활하셨고 함께 사역을 하셨다. 그래서 제자들의 믿음도 더불어 자라갔다. 그리고 부르신 당신의 사람들을 통해 세계

를 움직일 수 있는 강력한 교회 공동체를 만들어 가셨다. 이처럼 예수님은 하나님께서 그에게 맡겨 주신 일과 사람들에게 사랑과 생애를 쏟으셨다.

　　지도자는 예수님께서 가르쳐 주신 리더십 원리를 따라 소수를 선택하고 그들을 사랑하고 그들에게 집중하면서 그들을 하나님의 사람으로 세워 가야 한다. 하늘의 생명을 담은 그 작은 공동체가 세상을 변화시킬 수 있기 때문이다. 하나님께서 내게 맡겨 주신 사람들과 일에 사랑과 생애를 쏟아라

## 핵심 3. 순종의 삶을 보이라

**"예수께서 이르시되 나의 양식은 나를 보내신 이의 뜻을 행하며 그의 일을 온전히 이루는 이것이니라" 요한복음 4:34**

　　예수님은 분명한 사명을 갖고 계셨다. 그것은 하나님의 뜻을 순종하는 것이었다. 그리고 하나님의 일을 온전하게 이루는 것이었다. 즉 하나님께서 예수님에게 맡기신 일을 잘 끝마치는 것이었다. 이처럼 하나님의 뜻에 순종하고 그분을 통해 일하는 것이 예수님의 사역의 핵심이었다. 예수님은 죽기까지 하나님의 뜻에 순종하셨다(마 26:42절). 또한 예수님은 함께하는 제자들이 순종할 것을 기대하셨다. 제자가 되는 것은 주님에게 순종하는 것을 뜻한다. 이것은 인생을 살아가는 방식의 전환을 요구하는 것이다. 지도자를 따르는 것을 먼저 배우기 전에는 결코 지도자가 될 수 없다. 제자들은 예수님의 부르심에 순종하면서 사람을 낚는 어부로서 훈련되어 갔다(마4:19절). 제자들은 그들을 지도하고 양육하는 사람들에게서

순종을 배워야 한다. 그리고 지도자들은 기꺼이 순종의 본을 보여줄 수 있어야 한다.

지도자는 하나님 앞에서 내 것이라고 생각했던 것을 내려놓을 수 있고 또 기꺼이 하나님께 순종할 수 있어야 한다. 그러면 주님이 내 인생을 친히 이끌어 가시는 은혜를 경험하게 된다. 이 원리는 모든 그리스도인들에게 적용된다.

### 핵심 4. 성령을 통해서 리더십을 발휘하라

**"예수께서 성령의 충만함을 입어 요단 강에서 돌아오사 광야에서 사십일 동안 성령에게 이끌리시며" 누가복음 4:1**

**"예수께서 성령의 능력으로 갈릴리에 돌아가시니 그 소문이 사방에 퍼졌고" 누가복음 4:14**

예수님은 성령님을 통해서 사역을 시작하셨다. 예수님의 사역은 성령에 의해 성령을 통해 성령과 함께 하신 것이다. 예수님은 성령의 권능으로 가난한 자에게 복음을 전하고, 심령이 상한 자를 고치고, 포로 된 자에게 자유를 선포하고, 눈 먼 자의 눈을 뜨게 하고, 귀신을 쫓아내고, 눌린 자를 자유케 하셨다(눅 4: 18-19절).

리더십 개발과 리더십을 발휘함에 있어서 성령님의 도우심은 필수적인 것이다. 성령님은 하나님의 자녀를 도우시는 분이시다. 또 말씀을 깨닫게 하신다. 성령님은 진리의 영 이시기에 예수님을 증거하시고 사람들로 진리 가운데로 인도하신다. 또한 장래 일을 말해 주시는 분이시다 (요 14:16절, 26절, 15: 26절, 16:7-14절, 마 10:19-20절).

예수님은 제자들에게 성령을 약속해 주셨다. 성령님은 예수님과 동일한 삼위일체 하나님이시다. 주님은 성령 안에서 그들과 영원히 함께 계실 계획을 갖고 계셨다 (요 14:17절). 이것은 마태복음 28장 20절의 약속의 성취이기도 하다. 예수님은 성령님을 소개하셨고 제자들에게 바로 그 성령을 받으라고 말씀하셨다(요 20:22절). 예수님은 우리도 성령님이 더욱 필요하다는 사실을 알고 계신다.

**"이에 예수님께서 다시 그들에게 이르시되, 너희에게 평강이 있을지어다. 내 아버지께서 나를 보내신 것 같이 나도 너희를 보내노라, 하시니라. 그분께서 이것을 말씀하시고 그들 위에 숨을 내쉬며 그들에게 이르시되, 너희는 성령을 받으라"** 요한복음 20:21,22

인생을 산다는 것은 인간의 지식, 경험, 능력으로 할 수 있는 것이 아니다. 삶의 현장에서 모든 장벽과 영적 방해들을 이길 수 있는 것은 성령님의 힘이다. 그리스도인들이 세상에서 선한 영향력을 주려면 성령님과 함께, 성령님을 통하여, 성령님에 의해서만 가능하다.

그리스도인들은 매 순간 성령을 의지하고 성령으로 충만하고 성령과 함께 일하고 성령님을 통해서 살아가야 한다. 성령님을 의지하는 것은 영적 리더십의 원천이다.

"이와 같이 성령도 우리의 연약함을 도우시나니 우리는 마땅히 기도할 바를 알지 못하나 오직 성령이 말할 수 없는 탄식으로 우리를 위하여 친히 간구하시느니라. 마음을 살피시는 이가 성령의 생각을 아시나니 이는 성령이 하나님의 뜻대로 성도를 위하여 간구하심이니라"

로마서 8:26,27

**핵심 5. 기도를 통해 인생경영을 이루어 가라**

**"무리들을 보내신 뒤에 기도하러 따로 산에 올라가셨다가**
**저녁에 되매 거기 홀로 계시더라" 마태복음14:23**

예수님은 기도의 본을 보여 주셨다. 예수님은 새벽에 기도하셨다(막 1: 35절). 바쁜 사역 중에서도 시간을 할애하여 꼭 기도를 하셨다. 기도가 예수님이 삶의 일부분이기도 하였기 때문이다. 그래서 제자들은 기도가 주님의 삶과 사역에 중요한 비결이라는 것을 배울 수 있었다.

주님은 기도의 방법을 말씀하셨다 (마 6:6-13절).

**6절에 "오직 너는 기도할 때에 네 골방으로 들어가 네 문을 닫고 은밀한 가운데 보시는 네 아버지께 기도하라. 그리하면 은밀한 가운데 보시는 네 아버지께서 네게 드러나게 갚아 주시리라."**

**8절에 "…너희가 너희 아버지께 구하기 전에 그분께서 너희에게 필요한 것들을 아시느니라"**

9절-13절에 "그러므로 너희는 이런 식으로 기도하라. 하늘에 계신 우리 아버지여, 아버지 이름이 거룩히 여겨지게 하옵시며 아버지의 나라가 임하옵시며 아버지의 뜻이 하늘에서 이루어진 것 같이 땅에서도 이루어지이다. 오늘 우리에게 일용할 양식을 주옵시고 우리가 우리에게 죄(debts, 빚)지은 자를 용서하여 준 것 같이 우리의 죄를 용서하옵시며 우리를 인도하사 시험에 들지 말게 하옵시고 다만 악에서 우리를 건지시옵소서. 나라와 권세와 영광이 아버지께
영원히 있사옵나이다 아멘"

골방에 들어가 하나님께 아뢰는 기도를 하나님은 다 보고 알고 계시며 구하기 전에 우리의 필요를 다 알고 계신다는 점을 예수님은 제자들에게 알려 주셨다. 예수님은 제자들에게 이처럼 기도의 삶을 친히 보여주시고 가르쳐 주심으로 기도의 중요성을 강조하셨다(막 9:29절).

이런 기도의 가르침을 통해 제자들의 리더십 훈련에서도 기도는 우선순위가 되어갔다. 그리스도인들의 꿈과 비전과 영향력은 기도를 통해서 이루어 진다. 기도의 지원이 없는 삶은 힘이 없고 영혼을 변화시킬 수 없다. 기도는 그리스도인들의 삶의 현장에서 영적싸움의 강력한 무기다. 그리고 하나님의 뜻이다.

구약 성경 다니엘 9장 20-23절과 신약 성경 데살로니가전서 5장 16-18절을 읽어보라.

"내가 이같이 말하여 기도하며 내 죄와 내 백성 이스라엘의 죄를 자복하고 내 하나님의 거룩한 산을 위하여 내 하나님 여호와 앞에 간구할 때 곧

내가 기도할 때에 이전에 환상 중에 본 그 사람 가브리엘이 빨리 날아서 저녁 제사를 드릴 때 즈음에 내게 이르더니 내게 가르치며 내게 말하여 이르되 다니엘아 내가 이제 네게 지혜와 총명을 주려고 왔느니라 곧 네가 기도를 시작할 즈음에 명령이 내렸으므로 이제 네게 알리러 왔느니라 너는 크게 은총을 입은 자라 그런즉 너는 이 일을 생각하고 그 환상을 깨달을 지니라" 다니엘 9:20-23

"항상 기뻐하라. 쉬지 말고 기도하라. 모든 일에 감사하라. 이것이 그리스도 예수님 안에서 너희에 대한 하나님의 뜻이니라"
데살로니가 전서 5:16-18

그리스도인들은 기도가 호흡이 되어야 한다. 매 순간 기도하는 기도의 삶을 실천해야 한다. 기도를 훈련하고 기도를 통해서 주님과 교통하고 기도로 어려운 상황도 돌파해야 한다. 기도는 어둠의 세력을 이길 수 있게 하는 강력한 무기다. 기도는 계획을 실행하게 하는 원동력이 된다.


### 핵심 6. 편견을 내려 놓고 잃어버린 한 영혼을 대하라

"예수께서 열두 제자에게 명하기를 마치시고
이에 그들의 여러 동네에서 가르치시며 전도하시려고
거기를 떠나 가시니라" 마태복음 11:1

예수님은 친히 전도의 본을 보여주셨다(마 4:17-25절, 마 11:1절, 요 4:1-30절). 주님은 천하 보다 귀한 영혼을 향한 열정을 품고 계셨고 그것을 삶을 통해 보여주셨다. 예수님은 동네에서 동네로, 마을에서 마을들로, 지역에서 지역들로 다니며 영혼구원에 전력을 다하셨다. 각 성들과 각 촌들을 다니시며 복음을 전하셨다. 주님은 영혼들을 향해 끊임없이 찾아 다니셨다. 병자들, 귀신 들린 자들, 세리와 창녀까지도 예수님은 사랑으로 품으셨다. 한 영혼이 천하보다 귀하기 때문이다.

요한복음 4장은 한 영혼을 구원하시고자 유대인들이 가기를 금기시하는 사마리아를 향해 가시는 예수님의 열정을 보여 주고 있다. 예수님은 사마리아 수가 성 우물가에서 한 여인과 생명의 대화를 나누셨다. 사마리아인들은 700년 전에 앗수르에 의해서 사마리아에 온 외국 민족으로 이들이 사마리아에 거주하면서 이 지역에 살던 이스라엘 사람들은 혈통과 신앙의 순수성을 상실하고 말았다. 그로 인해 유대인들과 이들 간의 반목은 1세기 초까지 계속되었다.

그러나 예수님께서는 이런 관례를 깨고 유대인들이 가기를 꺼려하는 지역을 찾으셨다. 인종과 국경을 초월한 하나님의 사랑을 보여 주셨다. 결국 한 영혼이 주께로 돌아오자 이 구원의 사건은 사마리아 전체에 영향을 끼쳤다(요 4:39절).

지도자는 잃어버린 영혼을 위해 찾아가야 한다. 사람에 대한 편견을 내려놓고 한 영혼을 만나기를 힘써야 한다.

## 핵심 7. 협력과 협업의 힘을 통해서 리더십을 이루어 가라

**"열두 제자들 부르사 둘씩 둘씩 보내시며 더러운 귀신을 제어하는 권능을 주시고" 마가복음 6:7**

**"그 후에 주께서 따로 칠십 인을 세우사 친히 가시려는 각 동네와 각 지역으로 둘씩 앞서 보내시며" 누가복음10:1**

주님은 제자들에게 사역을 부여하셨다. 그러나 혼자 사역을 감당하게 하지 않고 짝을 만들어 일하게 하셨다. 예수님은 제자들을 사역지로 보내실 때 둘 씩 둘 씩 짝을 지어 팀으로 일하시게 했다. 예수님은 다른 70명의 제자들을 사역의 현장으로 보내실 때도 두 명씩 보내셨다. 복음사역은 혼자 할 수 있는 것이 아니다. 성경은 우리가 협력으로 일할 것을 요구하고 있다. 함께 일할 때 효과적으로 일할 수 있다. 함께 할 때 서로 돕고 위로할 수 있다. 팀 사역은 복음사역의 추진력을 제공한다.

주님은 이 시대를 살아가는 모든 그리스도인들에게도 복음사역을 분부하셨다. 주님의 마지막 지상명령의 범위는 모든 민족과 열방이었다. 그러나 이 사명은 성령님과의 동역함으로 그리고 전 세계 교회들과 성도들과의 협력과 동역으로 그리고 동료들과의 상호 협력과 함께 동역함으로 이루어 질 수 있는 것임을 예수님의 리더십을 통해서 배우게 된다. 우리 그리스도인들은 더욱 서로 협력하고 서로 돕고 함께 서로를 세워가면서 일상에서 일터에서 주님의 지상 명령을 실천해 가야 한다.

제자들에게 사역을 부여하시면서 예수님은 고난도 따를 것을 말씀해 주셨다 (마 10:17-23절). 사역을 감당하면서 배척과 미움 그리고 핍박이 따를 수 있다. 주를 위한 고난은 영광이다. 우리가 날마다 고난 가운데 있다면 우리는 날마다 주님의 영광에 동참하는 것이다. 고난도 함께 하는 동역자가 있다면 넉넉히 이길 수 있다. 연합하고 협력하고 협업하면서 함께 한다는 것은 큰 버팀목이 되기에 그리스도인들의 인생경영에 있어서 그만큼 중요한 전략이라 할 수 있다.

**핵심 8. 전략을 세워 일하라**

예수님은 전략을 세워 진두지휘 하였다. 제자들은 먼저 같은 동족인 이스라엘의 잃어버린 영혼들에게 갈 것을 예수님께 명 받았다. 이스라엘 같은 동족은 문화적, 종교적 배경이 그들과 비슷한 사람들이기때문에 동질감이 있다.

예수님은 제자들에게 사역현장에서 적용해야 할 좀더 구체적인 전략과 원칙들을 말씀해 주셨다.

**"아무 성이나 촌에 들어가든지 그 중에 합당한자를 찾아내어
너희 떠나기까지 거기서 머물라 또 그 집에 들어가면서 평안을 빌라"
마 10:11-12절**

이것은 복음에 수용성 있는 사람들을 먼저 찾으라는 사역전략이다.

**"보라 내가 너희를 보냄이 양을 이리 가운데 보냄과 같도다
그러므로 뱀같이 지혜롭고 비둘기같이 순결하라" 마 10:16절**

이 지침은 다양한 상황과 영적 방해 등이 예상되는 현장에서 이것은 전략의 중요성을 말해주고 있다.

**"가면서 전파하여 말하되 천국이 가까왔다 하고 병든자를 고치며 죽은 자를 살리며 문둥이를 깨끗하게 하며 귀신을 쫓아내되 너희가 거저 받았으니 거저 주어라"** 마 10:7-8절.

복음 사역이 하나님 나라의 사역이기에 복음 사역에는 하늘의 증거들이 따른다. 하나님께서 권능으로 함께하시기에 큰 역사가 일어난다. 때로는 의학과 과학과 사람의 논리로는 해석이 안되는 기적도 일어난다. 그러나 거저 주라고 하신 말씀에 복음사역은 주고, 베풀고, 나누고, 섬기고, 희생하는 것이지 대접받으려고 하는 것이 아님을 말해준다.

큰 능력이 나타난 것이 주님으로 온 것이지 내가 특별해서 온 것이 아니다. 그런데 어떤 복음 사역자들은 자신이 능력자 인 것처럼 행세하여 자신을 추앙하고 따르는 추종자들을 만들려 한다. 이러다가 기독교 안에서 사이비 이단 교주 같은 존재로 전락하는 일들이 종종 나타나 교회를 대적하고 파괴하는 일들이 반복되고 있다. 우리는 이것을 철저하게 경계해야 한다. 모든 그리스도인들 안에 성령 하나님이 함께 계신다. 그리스도인들은 이미 하늘 능력의 근원에 연결되어 있는 존재들이다. 모든 그리스도인들에게 하늘의 권세가 주어졌다. 어느 특정인에게만 주어진 것이 아니다. 말씀을 믿고 영적 권세를 사용하라. 그리고 거저 베풀고 나누라. 하나님께만 영광을 돌려라.

"너희 전대에 금이나 은이나 동이나 가지지 말고 여행을 위하여 주머니나 두 벌 옷이나 신이나 지팡이를 가지지 말라 이는 일군이 저 먹을 것 받는 것이 마땅함이니라" 마 10:9-10절

이것은 재정원리에 대한 주님의 말씀이다. 재정원리의 기본은 믿음에 있음을 강조한다. 하나님께서 당신의 자녀들을 입히시고 필요한 모든 것을 공급하신다는 것이다. 일터와 삶의 현장에서 그리스도인들이 먼저 하나님의 나라와 그의 의를 먼저 구한다면 주님은 이 모든 것을 채워 주시는 재정 원리의 약속을 해 주셨다. 그리스도인들은 모든 필요를 채워 주시는 하나님을 믿음으로 신뢰해야 한다(마 6:25-34절). 복음사역을 명하시고 시작하시고 진행하시고 또 완성하실 하나님께서 재정의 원천이시다. 하나님은 영원한 우리의 아버지다. 우리의 기업이시다.

이처럼 그리스도인들은 이 시대 속에서 적정전략을 가지고 인생을 살아 가야 한다. 그리고 모든 상황에서 하나님을 온전히 신뢰하고 그 분을 믿음으로 의지하며 살아야 한다. 그러면 우리의 일과 사역이 우리의 것이 아니라 그분이 이루어 가시는 일이 된다. 우리는 인생 최고의 경영자 이신 예수 그리스도와 함께 하고 있는 인생을 살고 있다.

### 핵심 9. 멘토를 두라

예수님은 제자들에게 멘토가 되어 주셨다. 제자의 삶을 평가해 주시고 바른 길고 방향을 제시해 주셨다. 우리 인생에 있어서 중요한 것은 올바른 방향이다. 평생을 살아왔는데, 열심히 달려왔는데 잘못된 방향을 향해 살았다면, 틀린 방향을 향해 달려왔다면 잘 못 산 것이다. 나중에 그 결

과는 나에게 부메랑이 되어 나와 이웃과 공동체에 큰 문제를 야기시킬 수 있다.

예수님은 제자들이 전도 여행을 마친 뒤에 그들과 함께 시간을 보내면서 보고도 들으며 사역의 축복을 그들과 함께 나누셨다. 사역을 마치고 돌아온 제자들은 예수님께 사역에 대해 보고하였다 (막 6:30절, 눅 10:17절). 예수님은 제자들의 복음의 승리에 대한 보고를 듣고 성령으로 기뻐하셨고 또 제자들에게 당부를 잊지 않으셨다. 그것은 제자들의 이름이 하늘에 기록된 것으로 기뻐하라는 것이었다(눅 10:17-24절). 예수님은 복음 사역에 있어서 보람과 기쁨의 이유가 사역현장에서 기적과 능력이 나타나는 것에 있지 않고 예수님을 믿음으로 영원한 생명을 얻은 것에 있다는 것을 강조하셨다.

삶의 현장에서 큰 역사가 일어나는 것을 경험하다 보면 자칫 교만해질 수 있다. 능력과 기적의 근원이 사람이 아니라 하나님이심을 주님은 가르쳐 주신 것이다.

예수님의 비전은 모든 민족과 열방을 향한 것이었다. 예수님은 제자들과 함께 비전을 공유하셨다. 그리고 제자들이 크고 작은 승리를 경험하도록 그들을 격려하였고 또 그들의 사역을 점검하고 평가하셨다. 더 나아가 예수님은 코칭이나 멘토링을 포함한 Fathering 즉 아비의 심정으로 아버지로서 제자들을 사랑하시면서 이들의 사역과 삶을 살피시고 올바른 방법과 방향을 향해 가도록 하셨다.

한 때 한 시대를 풍미했고 대표했던 유명한 지도자들이 돈, 권력 남용, 성적인 문제로 잘 마무리하지 못하고 도중 하차하는 일들을 매스콤을 통해서 자주 접하면서 안타까움을 금할 수 없다.

구약성경에서부터 신약성경에 이르기까지 성경안에는 무수한 지도자들이 언급되어 있다. 하나님 안에서 인생을 잘 마무리한 지도자들이 있는가 하면, 유종의 미를 거두지 못한 수많은 지도자들이 있었다. 어떤 지도자들은 초기에는 지도력을 잘 발휘했는데 말년에 초라하게 생을 마감하기도 하였다. 어떤 지도자들은 하나님께서 원하셨던 일을 충성되게 완수하지 못하여 바른 지도력을 발휘하지 못한 경우도 있다. 이와는 반대로 유종의 미를 잘 마친 지도자들이 있다. 이들은 끝까지 하나님과 생동감 있는 관계를 유지하였고 하나님께서 그들에게 주신 잠재력을 최대한 발휘하여 하나님의 목적하심에 합한 삶을 살았다.

필자는 미국 풀러신학교에서 박사과정을 하고 있을 때 로버트 클린턴 교수의 강의를 한 학기 들은 적이 있다. 필자에게는 스승이시기도 하지만 그의 리더십 강의는 이 시대를 사는 그리스도인들과 리더의 위치에 있는 사람들의 삶을 돌아보게 하고 또 삶의 방향에 영향을 주기도 한다. 로버트 클린턴은 그의 책 '유종의 미'에서, 지도자들에게 있어서 유종의 미를 가로막는 여섯 가지 장애물에 대해 언급했는데 즉 재정의 오용과 남용, 권력남용, 교만, 부적절한 이성관계, 가정문제, 비전과 열정의 상실을 지도자로 하여금 아름다운 끝맺음을 방해하는 장애물로 보았다.

그리고 끝맺음을 잘하는 지도자의 특징도 여섯 가지로 보았는데, 첫째, 끝까지 하나님과 개인적으로 생동감 있는 관계를 유지한다. 둘째, 배우는 자세를 유지하고 다양한 종류의 자료를 통해 배우며, 특히 삶의 경험을 통해 계속 배운다. 셋째, 삶에서 성령의 열매의 증거로 그리스도를 닮은 성품을 나타낸다. 넷째, 진리를 삶에 적용하고 하나님의 약속이 실현되는 것을 본다. 다섯째, 하나 혹은 더 많은 영적 유산을 남긴다. 여섯째, 사명의식을 점차적으로 분명히 확신하고 그것의 일부나 전부가 성취되는 것을 본다.

로버트 클린턴은 지도자들이 유종의 미를 거둘 수 있도록 하기위해 강화수단이 필요함을 역설했다. 그가 말한 강화수단은 첫째, 지도자들이 평생의 안목을 가져야 한다는 것이다. 즉 현재의 사역을 평생의 관점에서 바라보고 해석하고 평가해야 한다는 것이다. 둘째, 지도자들은 반복적인 갱신을 기대하고, 반복적으로 하나님으로부터 새로운 비전과 확신을 경험해야 한다. 또 갱신에 대해서 열린 자세가 있어야 하고 결단해야 한다. 영적 훈련이 약하면 갱신보다는 과거 경험과 기술에 의존하여 정체되기 쉬울 수 있음을 경고했다. 셋째, 절제훈련, 학습, 예배, 축제, 봉사, 기도, 친교, 고백, 순복, 청빈의 삶, 하나님 음성듣기, 안식 실천, 영성일기 쓰기 등 다양한 종류의 영적 훈련이 필요하다. 넷째, 평생을 통해 겸손히 배우는 자세를 가져야 한다. 타인의 삶과 독서들을 통해서 배우는 자세를 유지해야 한다. 마지막으로 주변의 멘토들과의 아름다운 소통과 관계를 통해서 실패의 함정을 피할 수 있도록 경고와 적절한 조언을 받는 멘토링이 필요하다. 10~15명의 멘토를 주변에 두는 것은 지도자가 유종의 미를 거두는 삶에 있어서 매우 유익한 것으로 보았다.

예수님은 제자들에게 최고의 멘토이셨다. 예수님은 모든 그리스도인에게도 최고의 멘토이시다. 이 시대를 살아가는 그리스도인들은 누군가에게 멘토(평생을 통해 혹은 한시적인 기간을 두고 조언을 해 줄 수 있는 스승, 인생 조언자)가 되어야 하고 또 누군가를 멘토로 삼아야 한다. 스승, 선배, 친구, 후배, 때로는 아내나 남편이 멘토 역할을 할 수도 있다. 빠르게 가는 것이 중요하지 않다. 올바른 방향을 향해 가는 것이 중요하기 때문이다.

### 핵심 10. 건강한 배가 운동을 위해 도전하라

모든 살아있는 건강한 생명체는 계속해서 자라고 증식한다. 자라지 못하고 증식하지 못하는 것은 병들었다는 증거이기 때문이다. 예수 공동체는 강력한 생명이 역사하기 때문에 반드시 자라고, 부흥하고, 증식해야 한다. 예수님은 제자들이 계속해서 열매 맺을 것을 기대하셨다(요 15:1-8절). 예수님은 제자들이 세상에서 불러낸 교회 안에서 그리고 교회를 통해서 영적 재생산을 하게 하셨다. 포도나무에 붙어있는 가지는 열매를 저절로 맺는다. 그들이 주님의 생애에 참여하였기 때문에 반드시 그의 열매를 맺어야 했다(요 15:5,8절).

교회에게 주신 그리스도의 지상 명령은 "온 족속으로 제자를 삼으라"는 명령으로 요약된다(마 28:19절). 이 말씀은 제자들이 세상으로 나아가서 다른 사람들을 인도하여 그들도 자기들과 같은 사람들을 그리스도의 제자들이 되게 하라는 의미인 것이다. 즉 이것은 영적 재 생산을 말하고 있는 것이다.

복음사역 과업의 완수는 계속적으로 예수공동체들이 왕성히 자라가며 성장하고 또 증식하며 계속해서 열매를 생산해 내는 재생산의 반복을 통해 이루어 질 것이다.

그리스도인들은 예수님께 꼭 붙어 있어야 한다. 그러면 계속 자라고 성장한다. 우리는 일부러 공동체의 몸집을 키우려고 세상의 방법을 도입할 필요가 없다. 예수님과 한 몸으로 있으면 우리는 예수 생명을 가지 작은 공동체로 계속해서 번식하고 증식해 갈 수 있다. 계속해서 강력한 예수 생명을 지닌 작은 공동체를 세계 곳 곳에 만들어 가야 한다.

## 핵심 11. 선교적 리더십을 개발하라

예수님은 점진적으로 세계 선교 비전을 말씀하셨다. 즉 나사렛- 다른 동네 - 다른 마을- 다른 지역- 모든 족속-땅 끝의 순서를 제시하였다(마 11:1절, 막 1:38절, 마 9:35절, 행 1:8절). 또한 마태복음 8장에서 로마 백부장과의 만남을 통해 이방 선교가 로마를 통해서 이루어 진다는 것을 예수님은 예표적으로 알려 주셨다. 이것은 예수님께서 복음사역의 흐름과 방향을 알려주시려는 것이었다.

필자는 선교는 하나님의 비전이고 성경 전체에 흐르는 핵심주제 중의 하나라고 보고 있다. 예수님은 소수에 집중하셨지만 세계를 품은 제자 또는 세계를 품은 예비 리더를 길러내어 예수 공동체를 세계 곳곳에 만들어 가게 하시는 방법으로 세계선교를 이루어 가시는 선교적 경영 리더십을 완벽하게 발휘하셨다.

이 시대를 사는 그리스도인들과 지도자들은 선교적 리더십을 발휘해야 한다. 일상의 삶에서 일터에서 하나님 나라의 영향력을 줄 수 있도록 노력하는 삶을 살아야 한다. 세계 선교의 실현은 내 삶의 작은 일상에서 시작되기 때문이다. 이 비전을 이루기 위해서 물질도 건강도 깊은 영성도 필요하다.

우리 그리스도인들은 이미 하나님 나라의 축복의 원천에 연결되어 있다. 먼저 하나님 나라를 위해 담대하게 구하라. 세계 선교를 위한 선교적 리더십을 위해서 구하라 그러면 하늘의 복의 원천으로부터 우리 인생 안으로 연결되어 있는 하늘 나라 파이프 라인을 통해 나의 모든 필요들이 넘치도록 채워지는 역사가 있을 것이다. 그리고 내 일터와 생업의 현장도 주께서 하늘의 복으로 부어 주시는 역사가 일어날 것이다. 인생을 가꾸어야 한다.

"그러므로 너희는 가서
모든 민족을 제자로 삼아
아버지와 아들과 성령의 이름으로 세례를 베풀고
내가 너희에게 분부한 모든 것을 가르쳐 지키게 하라
볼지어다 내가 세상 끝날까지
너희와 항상 함께 있으리라 하시니라"
마태복음 28:19-20

"오직 성령이 너희에게 임하시면
너희가 권능을 받고 예루살렘과
온 유대와 사마리아와 땅 끝까지 이르러
내 증인이 되리라 하시니라"

사도행정 1:8

킹 덤 리더십
Kingdom Leadership *2.*

# 킹덤 리더십 만들기

필자는 생각하는 성공의 정의는 다음과 같다.

"성공은 자신의 성취를 통해 그 힘으로 남에게 도움을 주는 삶의 단계이다." 어떤 높은 지위에 오른 것이 성공인가? 돈을 많이 번 것이 성공인가? 최고의 인기를 얻는 자리에 오른 것이 성공인가? 성공이라는 목적지에 도달했다면 그 다음은 어떻게 살 것인다. 더 이상 인생의 목표가 사라져 마약 같은 중독에 빠져드는 사람들이 많다. 인생의 참된 의미를 알지 못하기 때문이다. 의미가 있고 공헌하는 인생이 되기 위해서는 하나님 나라의 리더십을 갖추고 있어야 한다. 하나님 나라의 리더십(킹덤 리더십)을 개발해야 한다.

하나님 나라의 리더십은 나의 인생을 가꾸게 하고 선한 영향력을 주는 리더십이다. 이 킹덤 리더십은 나의 성공과 성취를 통해 이웃과 열방을 섬기는 인생을 살게 한다.

이 하나님 나라의 리더십을 만들기 위해서 하나님의 사람들은 한 손에는 성경, 한 손에는 신문을 갖고 있어야 한다. 그리스도인들은 깊은 산속 수도원에 사는 것이 아니다. 우리는 복잡한 일들과 독특한 성격을 지닌 사람들로 북적대는 세상 안에서 제한된 시간과 자원을 가지고 살고 있다.

세상에서는 재능으로 승부를 한다. 재능과 인품으로 인정을 받는다. 그리스도인들은 먼저 실력과 인품을 갖추어야 한다. 실력과 인품을 쌓아가야 한다. 자신을 개발하는 일을 중단하면 도태하고 만다. 실력과 인품이 있으면 나이가 들어도 사람들이 찾아온다. 실력도 없고 인품도 없으면 마치 맛을 잃어버린 소금이 땅에 버려져 사람들에게 밟히는 것처럼 그렇게 쓰레기 같은 존재로 대우받을 수 있다. 나이가 들면 들수록 더 겸손하게 배우려는 자세를 가지고 부지런히 자기를 개발시켜야 한다. 평생을 통해 배움의 자세를 가지면 실력을 쌓을 수 있다. 이것은 삶의 무기가 되고 자신을 더욱 빛나게 만들어 준다. 실력과 인품이 있는 사람은 존경과 덕망과 찬사를 받는다. 우리는 이런 삶을 추구하고 살아야 한다.

'낭중지추'란 고사 성어가 있다. 낭중지추(囊中之錐)란 주머니 속의 송곳처럼 뛰어난 인재는 숨어 있어도 반드시 눈에 띈다는 뜻이다. 실력과 인품을 갖추면 그런 사람은 숨어 있어도 일시적인 무명에도 불구하고 드러날 것이고 사람들이 알아보고 그런 사람과 일하게 되고 또 따르게 된다. 사람들이 '나'를 신뢰하고 나와 함께 일하고 싶어하고 나를 통해 배우고 싶어 하는 그런 사람이 되기 위해서는 영향력 있는 리더십을 갖추어야 한다. 필자는 이런 리더십을 킹덤리더십(Kingdom Leadership) 즉 하나님 나라의 리더십이라고 부른다. 모든 그리스도인들은 이런 킹덤 리더십을 가진 사람이 되어야 한다. 그러면 지도자인 것이다. 이 하나님 나라의 리더십이 세상을 변화시킬 수 있다. 이런 하나님 나라의 영향력을 주는 지도력을 가진 사람이 진정한 지도자이다. 그리스도인들은 하나님 나라의 영향력을 주는 리더가 되어야 한다.

지도자들과 이 시대를 사는 그리스도인들이 이런 하나님 나라의 리더십(킹덤 리더십)을 만들기 위해서 다음과 같은 노력이 필요하다.

## 큰 꿈을 품어라

항상 꿈은 커야 한다. 100이라는 목표물을 향해 활을 당겨야 그 근처라도 맞지 50이라는 목표를 향해 쏘면 잘해야 50 인 것이다. 큰 꿈을 품어야 한다. 하나님은 만사를 가능하게 하신다. 안 되면 꿈이 없어서 안 되는 것이지 환경이 나빠서 돈이 없어서 안 되는 것이 아니다. 꿈이 없는 민족은 망한다. 모든 위대한 역사는 분명하게 품은 선명한 꿈과 함께 시작한다. 꿈은 누구나 품을 수 있는 공짜이다. 지도자는 위험을 무릅쓰고 꿈을 품은 사람이다.

킹덤 리더십을 가진 사람은 다른 사람이 보지 못하는 것을 보는 믿음의 눈을 가진 사람이다(히 11;1절). 그리고 그러한 믿음의 눈을 달라고 하나님께 구하고 하나님으로부터 위대한 것을 기대하는 사람이다.

사람의 눈에 비친 베드로는 평범한 어부였지만 그리스도의 눈에 비친 베드로는 예루살렘을 뒤흔들 하나님의 위대한 재목이었다. 하나님의 사람은 날마다 마음으로 꿈을 그리는 사람이다.

지도자는 꿈과 비전의 사람이지 단순한 노동자가 아니다. 그러나 꿈을 떠받칠 수 있는 지속적 기도와 요동치 않는 인내심이 필요하다.

꿈은 반드시 다른 사람에게 전달되어야 한다. 지도자는 또한 꿈을 나눌 수 있어야 한다(잠 23:7절, 29:18절, 마 28:18-20절, 행 1:8절, 창 12:1-3절).


## 목표를 정하고 집중하라

큰 목적에 도달하기 위해서는 이룰 수 있는 작은 목표들을 만들어 가야 한다. 성취감을 얻기 위해서이다. 지도자는 계획을 선포하고 목표에 집중하는 사람이다. 먼저 작은 목표를 세우고 집중하고 또 성취를 경험해 가야 한다. 그 작은 성취들이 쌓여 큰 목표도 이루어지게 한다.

## 평생에 걸쳐 지도력을 개발하라

하나님께서 전 인생에 걸쳐 개입하시고 이끌고 계심을 알고 하나님께 적극적으로 반응해야 한다. 이런 평생 개발 관점에서 자기에게 있는 재능과 은사를 발견하고 개발하여 하나님께서 원하시는 지도력을 발휘해야 한다. 지도자는 평생을 통해 배움의 자세를 가져야 한다. 그리고 평생을 통해 지도력을 개발해 가야 한다.

## 헌신의 사람이 되라

꿈과 사람과 하나님에 대해 철저히 헌신의 사람이 되어야 한다. 목적을 향해 인내하며 나아가야 한다(골 3:23절, 전 9:10절, 약 2:20절).

세월을 아끼며 헌신을 준비하라. 지도자는 삶의 우선순위를 바르게 알고 처신한다. 지도자는 하나님과 또 하나님께서 맡겨 주신 사람들에게 헌신하는 사람이다.

## 경청하는 사람이 되라

요즘 사람들 사이에서 'T.M.I' 라는 단어를 자주 사용하는 것을 본다. 'T.M.I'는 'Too Much Information'의 약자로, '너무 많은 정보' 라는 뜻을 말한다. 우리는 누군가와 대화를 할 때 상대가 원하지 않고 필요하지 않은 개인적인 정보를 너무 많이 말하여 상대를 난감하게 혹은 불쾌하게 만들 때가 있다. 물론 사람들과 친밀감을 더하기 위해서 개인의 일상에서 일어나는 일, 자신의 감정, 생각 등을 공유할 수 있다. 그러나 적절한 범위 안에서 해야 효과가 있다. 상대가 원하는 범위와 정도 안에서 적절하게 개인적인 정보를 나누는 것이 좋다.

지도자는 자신의 꿈을 사람들에게 이해시키고 그들의 마음을 움직일 수 있어야 한다. 이를 위해서 꼭 필요한 것은 사람을 이해하는 것이다. 사람을 이해하기 위해서는 효과적인 의사소통을 할 수 있어야 한다. 그런데 효과적인 의사소통에 있어서 먼저 우선되어야 하는 것은 경청이고 공감능력이다. 지도자는 경청에 달인이 되어야 한다. 상대의 눈을 보면서 표정과 제스처를 통해 공감하는 반응을 보이면서 마음에서부터 진정성 있는 공감을 할 수 있어야 한다. 지도자는 많은 말을 하기 보다는 상대의 필요와 원하는 것이 무엇인지를 파악하고 적절한 소통을 할 수 있어야 한다.

지도자는 끊임없이 상대의 말을 듣는 훈련을 해야 한다. 나이가 들면 들수록 말하기 보다 더 듣기를 잘 하는 사람이 되도록 노력해야 한다. 나이가 들수록 '입을 열기 보다는 지갑을 열어라'라는 말이 있다. 깊이 공감이 되는 말이다. 나이 어린 사람이라도, 혹은 후배라도, 혹은 조직에서 아랫사람이라도 상대를 통해서 배우려는 겸손한 태도를 갖고 상대의 말을 경청해 주고, 혹시 조언할 것이 있다면 삶에서 체득된 지혜가 담겨있는 묵직한 한 방이 되는 말 한마디가 많은 말보다 오히려 큰 효과가 있을 수 있다.

훌륭한 경청자가 되기 위해서 다음과 같은 훈련은 큰 도움이 될 것이다.

- **경청을 결심하라**

  사람은 깨어 있는 동안 70%를 커뮤니케이션에 사용한다고 한다. 그 중에서 '듣기'는 우리 삶을 변화시킬 수 있는 매우 소중한 기회이다. 이제부터 타인의 말에 귀를 기울이겠다고 결심하라. 경청은 우연히 이루어지는 것 아니다. 지금 이 순간 결심에서 시작된다. 지금 경청 훈련을 시작하라.

- **마음을 비워라**

  상대에게 답을 주려는 마음, 조언해주고 싶은 마음을 내려 놓아야 한다. 상대에게 해주고 싶은 말, 그에 대한 편견, 선입견 모두 버리고 마음을 비우고 상대의 말을 찬찬히 들어주려는 준비가 필요하다. 성공적 대화의 핵심은 공감인데 내 생각이 가득 차 있는 상태에서 공감이 일어나지 않는다. 상대의 말을 있는 그대로 이해하기 위해 비우는 작업이 필요하다.

- **발견하라**

  마음의 안테나를 높이 세우라. 그리고 마음을 비우고 귀 기울이면 상대의 진실을 발견하는 특권을 누리게 된다. 경청은 나 자신과 상대에게서 새로운 발견의 기쁨을 선사한다.

- **말하기를 절제하고 끼어들지 말라**

  생각의 속도는 1분에 400-500단어를 처리할 수 있는 속도라 한다. 그리고 듣기 속도는 1분당 100단어이다.

  사람은 상대의 이야기를 듣는 동안 할 말을 생각하기 쉽다. 그 결과 때로는 상대의 말을 자르고 들어가 상대를 곤혹스럽게 만들기도 한다. 판단, 해석, 충고하려는 충동, 탐색을 멈추고 진지하게 상대의 말을 경청하라. 말하는 것은 짧은 시간에 배울 수 있으나 듣는 것은 오랜 세월이 걸릴 수 있다. 그래서 의도적으로 자신을 훈련해야 할 필요성이 있다.

- **상대를 있는 그대로 인정하라**

사람들은 이미 알고 있는 사람이나 관계에 있어서 익숙한 사람들의 이야기는 잘 들으려 하지 않는 경우가 있다. 집중해서 듣지 않고 건성건성 들어 대화의 핵심을 파악을 못하는 일이 발생하기도 한다. 특히 배우자, 자녀, 부하직원, 동료 등 익숙한 사람에 대한 고정관념을 버려라. "또 그 얘기" 하는 식의 태도는 금물이다. 이런 태도는 상대의 진심 어린 마음의 소리를 듣지 못하게 하는 장애물이다. 상대방을 온전한 인격체로 먼저 인정하는 태도를 갖고 상대방의 내면의 틀 안으로 들어가 그의 소리를 들을 수 있어야 한다.

- **감정을 살펴라**

감정을 살피는 경청은 쉬운 일이 아니다. 그러나 놀라운 보상을 약속해 준다. 상대의 말을 경청하면서 상대의 필요와 원함이 무엇인지 미리 파악할 수 있어야 한다. 대화할 때 집중해서 멀티 안테나 감각을 총 가동하여 상대의 감정을 살펴라. 상대의 목소리의 톤, 눈으로 전하는 언어, 상대의 제스처 등 상대가 전달하고 있는 비언어의 메시지도 파악하려고 노력하라.

- **공감하라**

공감은 상대의 내면으로 파고 들어가 그 사람의 감정 상태로 내려가 보는 것이다. '이해하다' 라는 영어 단어는 'Understand' 이다. Under(아래) + Stand(서있다): 즉 낮은 곳에 서있을 때 상대를 이해할 수 있게 된다는 뜻이다. 공감이 없이 듣는 것은 상대에게 허공에 대고 말하게 하는 것과 같다.

- **온몸으로 응답하라**

대화 중 7%만 언어의 내용에 의해 정보전달 되고, 38%는 말의 억양과 톤 음색, 55%는 표정, 눈빛, 다가서기, 물러서기, 제스처 같은 비언어적 메시지를 통해 이루어진다. 현재 상대가 어떤 감정 상태에 있는지 파악하고 그것을 이해했다면 표현을 해주어야 한다. 경청은 귀로만 하는 것이 아니다. 눈빛으로, 기울이는 몸짓으로 부지런히 메모하는 손놀림으로, 고개를 적당히 끄덕여 주는 공감의 표현으로 상대에게 지속적으로 당신의 반응을 보여주는 것이다.

- **대화의 파이를 공평하게 나누라**

나의 입장만 주장하는 태도는 어디에서도 환영 받지 못한다. 직장 상사나 혹은 나이 많은 연장자가 대화를 할 때 특히 조심해야 한다. 자칫 꼰대가 될 수 있다. 한 방향의 일방적인 대화는 옳지 않다. 만날 때 마다 말하는 사람만 몇시간 동안 신나서 말하고 다른 사람은 말할 수 없게 만드는 경우가 있다. 그러면 듣고 만 있었던 사람들은 다음에는 일방적으로 말만 한 사람을 마음으로 기피하게 된다. 한 두 번 같은 일이 반복되다 보면 더 이상은 만나고 싶지 않게 된다. 왜 연장자, 선배, 선임, 지도자의 위치에 있는 사람들이 남의 말을 들으려고 하지 않을까? "오로지 내 일, 내 경험, 내 생각만이 옳으니 너희는 그냥 듣고 만 있어" 라는 식의 관념과 태도를 버려야 한다. 과감하게 이런 나쁜 구습을 버려야 한다. 지도자는 끊임없이 배우려는 자세를 갖고 있어야 한다. 그리고 개선할 것은 과감하게 개선하고 버릴 것은 단호하게 버려야 한다. 그래야 성장할 수 있다. 그래야 존경받는 지도자가 될 수 있다. 삶의 깊은 경험에서 나오는 지혜는 소중하다. 지도자와 연장자는 오랜 삶에서 체득된 지혜를 나눌 수 있는 사람이다. 이것은 축복이다. 그러나 일방적으로 말만 하려는 사람을 사람들은 기피하기에 그 소중한 지혜가 있어도 나눌 수 없게 된다. 이 얼마나 안타까운 일인가?

상대의 이야기를 듣지 않고 경청하지 않는 태도는 상대를 깊이 생각하지 않고 있다는 뜻이다. 한편 이것은 매우 이기적인 태도이다. 함께 대화하는 그 사람 자체를 깊이 존중하고 공감하려는 자세가 있어야 한다. 사람들이 대화를 기피하는 사람으로 전락해서는 안된다. 나이가 들수록 사람들에게 덕망을 받고 사람들이 만나고 싶어하는 사람이 되어야 한다. 결단과 노력과 훈련이 필요하다.

진정성 있게 사람들 대하고 마음과 마음을 연결하여 상대의 이야기를 잘 들어주고 상대의 근황에 대해서 물어봐 주고, 지난 번 만났을 때 알게 된 가족의 상황에 대해서 현재는 어떤 지? 진심 어린 마음으로 관심있게 질문을 던지고 상대의 이야기를 충분히 들어야 한다. 그리고 함께 대화를 마치 탁구 치듯이 주고받으면 상대는 당신을 더욱 존중하게 된다. 일방적인 대화 방식은 절대금물이다. 그리고 모두가 다 알고 있는 주제에 대해서 나 혼자만 알고 있는 것처럼 "당신들은 무조건 듣기만 해라"는 식으로 대화를 독식하는 것은 절대 금물이다.

만약 2 명이 대화를 한다면, 마치 탁구(Ping-pong)치듯이 대화가 한 번씩 오고 가야 한다. 만약 5명이 대화를 한다면, 마치 5명이 5개 파이를 공평하게 나누어 먹는 것과 같다. 모두가 파이를 먹으려면 한 명이 하나의 파이만을 먹어야 한다. 이처럼 5명이 시간 안배를 해서 공평하게 시간을 사용하여 대화를 할 수 있어야 한다. 한 사람이 대화를 독주해서는 안된다. 그러면 어떤 성과를 이루기도 어렵다.

경청의 태도는 창조적인 공존을 이루게 한다. 사회와 공동체를 지탱해 주는 중요한 구성요소는 신뢰이다. 이 신뢰는 의사소통의 성숙에서 발생한다. 그리고 경청은 효과적인 의사소통의 핵심이다.

지금부터 부부, 자녀, 친구, 동료, 공동체, 모임 안에서부터 경청과 대화를 훈련하라. 문제점과 개선점을 과감하게 고치고 개선하라. 버려야 할 것은 단호하게 버려라. 수용해야 할 것은 수용하라. 경청하는 태도가 습관이 되게 만들라.

듣기의 5가지 종류가 있다. '무시'. '사무적으로 듣는 척하기', '생색내며 듣기', '기술적 듣기', '인격적 경청' 이다. 진정한 경청은 기술적으로 한 순간에 이루어지는 것이 결코 아니다. 바로 내 인격 안에서 상대를 존중하고 배려하려는 태도가 깊숙이 자리 잡을 때 비로소 가능한 일이다. 경청을 습관화해야 한다. 끊임없이 자신을 훈련해야 한다. 경청의 습관이 삶의 내면에 깊이 뿌리내려야 한다. 그래서 본능적으로 경청하는 태도가 나에게서 뿜어져 나와야 한다. 사람들은 말을 많이 하는 사람보다 자신의 말을 경청해 주는 사람에게 호감을 느끼고 신뢰감을 느낀다.

지도자가 효과적인 커뮤니케이션을 하기 위해서 꼭 갖추어야 할 훈련이 경청의 훈련이다. 끊임없이 훈련하여 경청하는 태도 본능적인 것이 되게 해야 한다.

## 인격을 다듬어라

지도자는 말과 삶이 일치해야 한다. 투명한 삶의 소유자여야 한다. 영적 지도자는 솔직 담백한 인격의 사람이어야 한다. 인격에서 사역이 흘러나오기 때문이다. 한 시대 속에서 하나님의 큰 역사를 일으키는 지도자들은 사실 가까이하기 쉬운 사람이다. 개인적인 허식이 없고, 어떻게 저런 분이 이제까지 삶을 유지할 수 있었을까 놀랄 정도로 그의 생활양식이 순수하며, 견고한 마음과 우스꽝스러운 유머, 그리고 명랑성이 풍부한 사람으로 정직하고 성실(세상과 타협하지 않는 사람) 하며 속이 환하게 들여다보이는 투명함의 사람이다. 지도자는 신뢰할 만하고, 존경할 만하고, 믿음이 가는 인격을 가져야 한다. 지도자는 펴져 있는 책과 같다(갈 5:25절, 살전 5:12-13절, 히 13:7절, 17절). 일과 사역은 그 사람의 존재, 됨됨이로부터 시작이 된다.


## 사람을 움직이는 사람이 되라

지도자는 주변의 사람들을 하나님께서 세우신 목표를 향해 함께 가도록 사람을 움직일 수 있어야 한다. 설득력을 가져야 한다. 영감을 주어 감동케 할 수 있어야 한다. 사람을 움직일 수 있는 버튼(칭찬, 격려, 선물 등)을 찾아야 한다. 때로는 격려와 용기를 통해, 때로는 강한 도전과 동기부여를 통해 사람을 움직일 수 있다. 내재되어 있는 꿈과 비전도 일깨워 줄 수 있어야 한다. 가능성을 볼 수 있게 마음의 눈을 열어 주어야 한다.

## 좋은 관계를 유지하라

지도자는 좋은 유대관계를 유지해야 한다. 가족의식과 사랑의 공동체 의식이 있어야 한다. 공동체 안에서 아름다운 관계가 형성되도록 노력해야 한다. 좋은 팀을 만들어야 한다. 충성심, 상호신뢰, 동료의식, 성취의지를 고취시킬 수 있어야 한다. 상하관계가 아닌 그물식 관계를 만들어야 한다. 좋은 팀과 공동체는 큰 힘을 발휘하기 때문이다.

## 긍정적이고 적극적인 열정의 사람이 되라

지도자의 초점은 목표에 있지 장애물이나 절망, 의기소침에 있지 않다. 지도자는 사람들에게 힘을 주는 사람이다. 긍정적인 사고와 열정은 전염이 된다. 지도자가 흔들리면 공동체가 모두 흔들린다. 믿음, 소망, 사랑의 마음을 품고 기도하면서 일과 사역에 임해야 한다. 자신과 타인에 대해 좋은 이미지를 갖고 있어야 한다. 자신에 대해 나쁜 이미지를 갖고 있으면 다른 사람도 나에게 나쁜 감정을 갖기 때문이다. 지도자는 삶과 사역에 대해 긍정적이고 역동적이고 진취적이어야 한다. 문제를 간파하고 미래를 위해 계획을 세워야 한다.

과거는 이미 지나갔고 미래는 아직 오직 않았지만 영적 지도자는 오늘의 삶의 열정을 품고 최선을 다하는 사람이다(느헤미야 6:2-4절, 롬 8:28절, 빌 4:13절). 지도자는 실패와 실수를 두려워하지 않는다. 놀라운 용기의 사람이 되어야 한다. 인간의 불가능이 하나님의 불가능은 아니기 때문이다. 하나님은 하실 수 있는 분이시다. 희망과 낙관주의는 리더십에 있어서 필수적인 요소이다.

## 자신의 일을 사랑하고 즐기라

자신의 일을 사랑하고 즐기는 태도를 가져야 한다. 지도자는 강요나 일의 중압감으로 인해 일하지 않는다. 자신의 약함도 강함도 알고 하나님 으로부터 도우심과 회복하심과 치유하심과 새 힘을 얻고 삶과 사역을 누려야 한다. 내가 하는 일을 기쁨으로 감당하기 위해 노력해야 한다. 그리고 자신의 일에 전문성과 통찰력을 갖고 있어야 한다.

## 삶을 나누라

지도자는 얼마나 많은 양들을 하나님께서 내게 맡기실 것인가? 라는 질문보다는 왜 하나님은 내게 양들을 맡기셨는가? 나는 무엇으로 양들을 인도할 것인가? 에 대한 질문을 하는 사람이다. 지도자는 생명을 다해 맡겨진 사람을 돌보며 인도하는 사람이다. 지도자는 한 영혼을 소중하게 여기는 사랑의 목자가 되어야 한다(렘 5:1절, 마 25:21절,40절). 예수님은 제자들에게 생애를 나누는 사랑의 목자이셨다.

## 올바른 판단과 명확한 결단을 내리라

지도자는 '예'와 '아니요'를 분명히 말할 수 있어야 한다. 싫은 마음을 좋다고, 좋은 것을 싫다고 하면 하나님 앞에 죄를 범하기 때문이다. 불의에 대해서는 단호한 태도를 가져야 한다. 지도자는 경솔하게 일을 착수해서는 안 된다. 기도하며 신중을 기해야 한다. 성령의 인도하심으로 올바르게 판단하고 일을 착수해야 한다.

하늘의 복을 원하는 사람은 결정해야 할 때 지체하지 말아야 한다. 우유부단을 피해야 한다. 우유부단은 더 큰 올무를 놓는 덫이 되기 때문이다.


## 지도자를 양성하라

지도자는 또 다른 지도자를 양성하여 지도력을 위임할 수 있어야 한다. 그래서 지도자를 양성하는 가운데 예비 지도자에게 길을 열어 주고, 때로는 징검다리가 되어 주고, 또 필요한 자원을 공급해 주고 연결해 줄 수 있어야 한다. 때가 되어 기꺼이 자기의 자리를 내어 줄 수 있는 지도자가 참된 지도자이다. 지도자를 양성하지 못한 지도자는 실패한 지도자이다.


## 성령의 능력을 힘 입어라

하나님의 사람은 성령님에 의해 움직이는 사람이다. 자신의 인격만으로는 다른 이에게 영향을 줄 수 없기 때문이다. 성령에 사로잡혀 성령의 능력을 받은 인격으로 더 큰 영향을 주게 된다. 지도자는 성령의 인도하심을 따라 살고 성령으로 예수를 전하고 성령의 충만함에 사로잡힌 사람이다. 성령의 사람은 모든 삶의 국면 속에 하나님의 섭리가 있음을 깨닫는 자이다.

지도자는 삶을 영적인 각도에서 해석하는 사람이다. 무성하고 화려한 말이 부리는 재주에 사로잡힌 자가 아니라 성령의 능력에 힘입은 사람이다. 바람은 보이지 않지만 역사한다. 바람 같은 성령의 사람이 되어 기도와 손과 발과 생각이 닿는 곳에 성령의 도우심이 함께 하는 성령의 사람이 되어야 한다. 지도자는 성령님의 음성에 귀를 기울인다. 성령의 사람은 나를 판단하실 분은 오직 하나님밖에 없다고 기도하며 나가는 그런 사람이다.

지도자는 예수 그리스도께서 믿던 바를 믿어야 하고, 그 분이 하시던 바를 해야 하고, 주님이 열망하며 가던 길을 가야 한다.


## 영적, 감정, 육체의 균형을 유지하라

지도자는 먼저 소모(Burn- Out)를 경계해야 한다. 소모(Burn-out)는 영적, 감정적, 신체적으로 완전히 고갈된 상태를 말한다. 염려 많으나 성취가 없고, 노력 많으나 기쁨이 없고, 일은 많이 하지 않으나 지치고, 더 이상의 권면도 자신의 내면에 받아들이려 하지 않는 증상이 나타난다. 원인으로는 지나친 충성심, 완전 주의적 성격, 지나친 목표, 독점의식, 잘못된 리더십 때문에 겪는 어려움 등이 있다.

소모를 방지하기 위해 자신의 한계를 인정하고 적절한 목표를 세워, 계속적이고 전인적인 공급이 있어야 한다. 때론 '거절'할 수 있어야 한다. 다른 말로 나를 지켜내는 '경계선' 이 필요하다.

하나님께서는 사람을 만드실 때 육체와 영혼도 그리고 마음도 만들어 주셨다. 성경은 영적, 감정적, 신체적 모든 영역에 있어 균형을 말하고 있다. 영적, 감정적, 신체적 치유와 회복에 대해 분명하게 말하고 있다. 지도자는 영적, 감정적, 신체적 탱크의 물이 적정 수준을 항상 유지하도록 노력해야 한다.

# 마음에게 선포하라

나의 내면은 불안할 때가 있다. 마음도 감정도 요동치고 흔들릴 때가 있다. 이 때 자아로부터 오는 부정적인 마음의 소리에 귀를 기울이지 말고 오히려 마음을 향해서 자아를 향해 하나님의 말씀을 선포하라.

시편 기자는 시편 42:3-6절에서 낙심한 자기의 영과 마음의 상태를 그대로 인정한다. 그리고 그는 그의 마음 속에 있는 감정의 소리를 듣고 반응한다. 그 마음과 교감을 한다. 그러나 그 절망하고 낙심한 마음이 자신을 지배하도록 내버려 두지 않는다. 우리는 종종 낙심과 두려움 그리고 절망 가운데 흔들리는 마음이 나를 향해 말하게 하는 경우가 많다. 하나님이 이 절망의 순간에 나와 함께 하지 않고 저 멀리 계신 것만 같아서 그 두려움과 낙심이 나를 삼키게 허용할 때가 있다. 그 결과 불행을 자신의 삶 안으로 스스로가 끌어들인다.

그리스도인들은 자아를 향해 자신의 영혼과 마음을 향해 말하고 선포하는 훈련을 해야 한다.

시편 기자는 **"내 영혼아 어찌하여 네가 낙심하느냐? 어찌하여 네가 내 안에서 불안해하느냐?"**라고 말하면서 자신과 대화를 나눈다. 이것은 기도하는 것이 아니다. 다른 사람에게 말하는 것이 아니라 자신과의 대화를 나눈다. 그리고 낙심한 자기의 영혼을 향해 절망하고 있는 자기의 마음을 향해 대화를 시도한다.

우리는 자신의 자아를 향해 영혼과 마음을 향해서 말하고 명령해야 한다. 자신의 마음의 소리를 듣는 것이 항상 좋은 것이 아니다. 자칫 자기의 불안한 마음이 삶 전체를 흔들어 놓을 수 있기 때문이다. 자아를 향해 마음을 향해 말을 하기도 하고 또 선포하면서 마음을 바르게 인도해야 한다. 시편기자는 절망하고 낙담한 자기 영혼을 향해 마치 '멈춰, 그건 아니야" 라고 선포하고 있는 것이다.

그리스도인들은 자신의 영혼과 마음에게 우리의 영원한 하나님 아버지가 어떤 약속을 나에게 해 주셨는지? 에 대해서 들려주고 또 선포해야 한다. 시편기자는 **"너는 하나님께 소망을 두라, 그의 얼굴의 도우심으로 내가 여전히 그를 찬양하리라"** 고 선포한다. 그래서 자신의 영혼과 마음을 하나님 말씀 앞으로 데려가 하나님의 말씀에 흠뻑 잠기게 한다. 그렇게 영혼과 마음을 다스렸다.

지도자는 먼저 자기의 내면 세계를 다스리는 훈련을 해야 한다. 그래서 흔들리는 감정과 마음에 삶의 자리를 내어주는 일이 없도록 해야 한다. 절망과 낙심이 찾아올 때 그 절망의 마음을 솔직하게 인정하고 하나님 앞에 쏟아내라. 절망과 낙심이 믿음이 부족하거나 믿음이 없어서 찾아오는 것이 아니다. 바알과 아세라 선지자와의 850대 1의 대결도 두려워하지 않고 싸워 승리했던 엘리야도 이세벨이 그를 잡아 죽인다고 하니까 깊은 절망과 낙심 중에 두려워 도망간다. 이것이 인생이다. 그래서 삶의 모든 순간이 하나님의 은혜인 것이다. 내 지금 살아 숨쉬는 것, 내가 지금 일하고 있는 것, 내가 서 있는 매 순간이 기적이고 은혜인 것이다.

지금의 내면의 심각한 상황을 인정하고 하나님 앞에 쏟아내라. 그리고 자신과 대화를 해라. 이것은 기도가 아니다. 성령님 안에서 나와 대화를 하는 훈련이 있어야 한다. 그리고 자신을 향해 하나님의 말씀을 선포하라. 그래서 자신의 영혼과 마음을 바르게 인도하고 다스려야 한다. 지도자 훈련에 있어서 자신의 내면 세계를 다스리는 훈련은 중요하다.

"사람들이 종일 내게 하는 말이 네 하나님이 어디 있느냐?
하니 내 눈물이 주야로 내 음식이 되었도다. 내가 이 일들을 생각할 때 내
가 내 혼을 내 속에서 쏟아 내는 도다. 이는 내가 전에 무리와 함께 갔었고
거룩한 날을 지키는 무리와 더불어 기쁨과 찬양으로 소리지르며 하나님
의 집으로 갔었음이니이다. 오 내 혼아, 어찌하여 네가 낙심하느냐? 어찌
하여 네가 내 안에서 불안해하느냐? 너는 하나님께 소망을 두라. 그의 얼
굴의 도우심으로 내가 여전히 그를 찬양하리라. 내 하나님이여 내 영혼이
내 속에서 낙심이 되므로 내가 요단 땅과 헤르몬과 미살 산에서 주를 기
억하나이다" 시편 42:3-6

"내 영혼아 여호와를 송축하라 내 속에 있는 것들아 다 그의 거룩한 이름
을 송축하라. 영혼아 여호와를 송축하며 그의 모든 은택을 잊지 말지어
다. 그가 네 모든 죄악을 사하시며 네 모든 병을 고치시며 네 생명을 파멸
에서 속량하시고 인자와 긍휼로 관을 씌우시며 좋은 것으로 네 소원을 만
족하게 하사 네 청춘을 독수리 같이 새롭게
하시는도다" 시편 103:1-5

"자기의 영을 다스리지 못하는 자는 무너져 버린 성읍에 성벽이 없는 것
과 같으니라." 잠언 25:18

"노하기를 더디하는 자는 용사보다 낫고 자기의 마음을 다스리는 자는
성을 빼앗는 자보다 나으니라" 잠언 16:32

"마음의 즐거움은 양약이라도
심령의 근심은 뼈를 마르게
하느니라" 잠 17:22




"무릇 지킬만한 것보다 더욱
네 마음을 지키라 생명의 근원이 이에서 남이니라?
잠언 4:23

## 삶의 '경계선'을 세우라

경계선은 소유권을 구분 짓는 선이다. 나의 물건, 나의 땅, 나의 가족, 나의 감정, 나의 생각, 나의 행동, 나의 태도가 이 소유권 안에 포함되어 있다.

같은 조직 안에서 팀으로 잘 일하다가 관계가 깨져 평생 원수로 사는 사람들이 있다. 필자가 살던 마을에 그런 관계로 살아가는 사람들이 있었다. 한 사람은 새벽에 산책을 한다. 그 사람과 원수처럼 지내는 사람은 서로 얼굴도 보기도 싫어서 일부러 저녁에 산책을 한다. 어떤 사람은 같은 기관에서 일하는 선 후배사이로 처음에는 잘 지내다가 관계가 깨진 경우도 있다. 선배는 연락도 하지 않고 불쑥 후배의 집에 찾아가는 스타일이었다. 그러나 후배는 누군가 자기의 집에 올 때는 사전에 물어보고 동의를 구하는 것을 원칙으로 알고 사는 사람이었다. 끙끙 속으로 앓다가 정신장애까지 와 버린 경우가 있다. 선배는 경계라는 개념이 없는 사람이었다. 그래서 누군가가 언제든지 연락없이 동의없이 찾아와도 자신에게는 문제가 되지 않는 사람이었다. 자신의 잣대로 상대를 생각하고 있었던 것이다. "상대도 나와 같겠지" 라는 단순한 생각을 하고 있었던 것이다.

경계선에 대한 무지는 상대를 자칫 곤경에 빠뜨릴 수 있다는 점을 항상 인지하고 있어야 한다. 타인의 경계선을 무시하고 침범하여 타인의 삶의 정원을 망가뜨리는 사람이 있다. 그와 반대로 어떤 사람은 자신의 삶의 경계선을 세우지도 않고 산다. 삶의 경계선에 대한 개념도 모르고 산다. 그래서 타인이 자신의 경계선 안으로 마구 침범을 해도, 삶의 경계선 안으로 들어와 삶의 정원을 망가뜨리고 있는데도 그것을 허용하고 방치하다가 속으로 앓고 앓다고 마음도 몸도 병드는 경우가 있다.

우리는 때로는 "아니요!"라고 말할 수 있는 용기가 필요하다. 아무리 친한 관계라도 나의 고유한 삶의 영토를 보호하고 구분 짓는 삶의 경계선을 넘보고 훼손하고 허물고 무단 침입을 한다면 단호하게 "아니요"라고 말하면서 나의 경계선이 어디까지 인지 상대에게 알려줘야 한다. 이 '경계선'은 나와 상대의 관계를 건강하게 만들어 주고 세워주는 울타리와 같다.

세상은 악한 구석이 있다. 세상에 이런 말이 있다. 가만히 있으면 가마니로 알고 보자보자 하면 보자기로 알고 상대를 깔본다. 주변에서 착하다고 하는 사람을 만만하게 보고 얕보고 이용하려는 사람들이 있다. 마치 목소리 큰사람에게 권한이 더 부여되고 자기 소리를 내는 사람은 함부로 못한다. 마땅히 거절해야 하는 정당한 사정이 있어도 부탁을 거절하지 못하고 자기 목소리를 내지 않고 시키는 대로 "예"하기만 하는 사람들과 그런 사람을 이용하는 사람들 둘 다 문제가 있다. 시름시름 앓다가 마음에 골병 드는 사람은 결국 마음에 병이 몸의 병으로 오기도 하고 또는 감정이 한 순간 폭발하여 조직을 떠나게 된다.

참는 것이 능사가 아니다. 참는 것이 미덕이 아니다. 나의 인생의 경계선을 누군가 침범한 것은 마치 나라와 나라 사이에는 놓여있는 국경을 입국허가 없이 무단으로 침범한 심각한 비상 상황이고 심각한 범죄 상황인 것이다.

나의 삶의 고유한 영토를 지키고 아름답고 건강하게 가꾸기 위해서는 삶의 경계선을 만들어야 한다. 이것을 훈련해야 한다. 경계선을 세우기 위해서 먼저 내가 속해 있는 내 인생의 고유한 영토가 어떤 모습이어야 하는지 알아야 한다.

## 내가 원래 살아야 할 영토의 원형

인간의 인생을 영토라는 개념으로 접근해 보자. 원래 나의 인생 영토의 원형은 에덴 동산이다. 하나님은 에덴 동산을 만들어 아담과 하와가 그 안에 살게 하셨다. 에덴 동산이라는 영토는 하나님이 다스리고 통치하시는 곳이었다.

에덴 동산 안에는 강 하나가 흘러 동산에 풍성하게 물을 공급하였다. 그리고 그 에덴 동산에서 발원하여 흐르는 강에서 네 개의 강이 만들어 졌다. 즉 비손 강, 기혼 강, 힛데겔 그리고 유프라테스 강이다. 그리고 그 에덴 동산에는 하나님께서 공급하시는 생명력으로 가득하여 모든 것들이 아름답고 풍성하였다.

아담과 하와는 무엇을 먹을까? 무엇을 마실까? 무엇을 입을까? 걱정할 필요가 없었다. 완벽한 자연환경이 준비되어 있었다. 아담과 하와 사이에 완벽한 사랑의 관계가 있었다. 그리고 사람은 하나님과의 친밀한 영적 관계의 축복을 누리며 살았다. 에덴 동산은 사랑, 생명력, 기쁨, 누림, 쉼, 풍성함, 아름다움, 완벽한 조화, 평화로 가득한 영토였다. 이 영토 안에는 일을 해도 피곤하지 않고 오히려 생명력이 더해졌다. 만물을 소성케 하는 생명의 기운이 지배하는 영토였다.

## 하나님의 경계선

창세기 2장 15-17절에서 하나님은 자신의 경계선에 대해서 분명하게 말씀하셨다. "하나님께서 아담을 데려다가 에덴의 동산에 두시고 그 영토를 가꾸고 지키게 하셨다. 그리고 하나님은 아담에게 명령하셨다. **동산의**

**모든 나무에서 나는 것은 네가 마음대로 먹어도 되나 선악을 알게 하는 나무에서 나는 것을 먹는 날에 네가 반드시 죽으리라**" 아담은 에덴이라는 영토를 가꾸고 지키는 하나님의 대리 통치자의 임무를 위임 받았다. 이 영토의 진짜 왕이신 하나님은 자신의 경계선을 아담에게 알려 주셨다. 그 경계선은 넘지 말아야 할 선이었다. 하나님의 경계선은 "선악을 알게 하는 나무에서 나는 것을 먹는 날에는 네가 반드시 죽으리라"는 메시지에 담겨있다. 아담은 다 누릴 수 있는 왕 같은 존재였지만 진짜 왕이 아니라 하나님이 세우신 대리 통치자요 대리 왕이었다. 그래서 하나님이 세우시고 알려 주신 경계선의 의미는 "이 영토(에덴동산)의 진짜 왕은 창조주 하나님이시다"라는 것이다. 경계선은 하나님과 아담의 관계를 지키는 울타리였다. 아담 자신이 스스로를 진짜 왕으로 생각하고 하나님 없이 살수 있다고 여기고 하나님 말씀을 불순종하여 하나님이 세우신 하나님의 경계선을 허무는 것은 하나님의 고유한 영토와 영역을 침범하는 것과 같다. 이것은 결국 멸망이요 죽음이요 파멸로 이끌기 때문이다. 아담은 하나님이 세우신 경계선을 잘 지키고 따르면 나머지는 다 누릴 수 있는 것이었다.

이처럼 사람과 사람의 관계에서 '경계선'은 결국 나와 상대 모두를 지키는 울타리가 된다.

다시 창세기 에덴 동산의 현장으로 가보자.

## 영토의 훼손

마귀는 이 영토를 파괴하려고 먼저 사람에게 접근했다. 그리고 교묘한 방법으로 사람을 속였다. 하나님은 아담에게 **"동산의 모든 나무에**

서 나는 것은 네가 마음대로 먹어도 되나 선악을 알게 하는 나무에서 나는 것을 먹지 말라. 그 나무에서 나는 것을 먹는 날에 네가 반드시 죽으리라" 고 말씀하셨다.

창세기 2장 9절에 보면 동산 중앙에는 생명 나무와 선악을 알게 하는 나무가 있었다.

어느 날 뱀이 하와에게 찾아왔다. 사탄이 뱀을 통해 하와에게 접근한 것이었다. 그리고 뱀(사탄)은 하나님 말씀을 왜곡시켜 질문을 던진다. **"참으로 하나님께서 말씀하시기를, 너희는 동산의 모든 나무에서 나는 것을 먹지 말라. 하시더냐?"** 창세기 3:1절의 내용이다. 뱀의 질문 내용과는 정반대로 하나님은 분명하게 창세기 2장 16,17절에서 선악을 알게 하는 나무 이외에 동산의 모든 나무에서 나는 것을 마음대로 먹으라고 하셨다. 하와는 뱀이 교묘하게 하나님의 말씀을 왜곡시켜 던진 질문에 덩달아 왜곡시켜 대답을 한다. 즉 동산 중앙에 있던 나무의 열매는 먹지도 만지지도 말라고 하셨다고 답한다.

동산 중앙에는 선악을 알게 하는 나무 외에도 생명 나무도 있었다. 동산 중앙에 있는 생명나무의 열매는 먹을 수 있었다. 그리고 만지지도 말라는 말은 하나님은 하신 적이 없다. 이처럼 사탄은 하나님의 말씀을 왜곡시켰다. 그리고 사람(하와)도 하나님께서 하지도 않은 말을 첨가했다. 뱀은 그 열매를 먹어도 절대 죽지 않는다고 거짓말을 한다. 그리고 눈이 열려서 하나님과 같이 될 수 있다고 속이고 미혹을 한다. 결국 아담과 하와는 뱀(사탄)의 속임수에 넘어가 하나님께 죄를 범하게 되었다. 그리고 하나님께서 아담과 하와를 위해서 만들어 주셨던 아름답고 만물을 소성케 하는 영토(에덴동산)에서 추방되었다.

하나님께서 원래 사람을 만드신 목적은 하나님의 형상을 따라 지음 받은 고귀하고 소중한 존재로 하나님을 섬기고, 하나님께서 주시는 생명력으로 삶을 가득 채우고, 그 에너지로 살면서 기쁨과 즐거움을 누리면서 하나님 자녀로서의 그 존재(Being)로 세상을 다스리고 아름답게 가꾸라고 하신 것이었다. 이것이 원래 우리가 살아야 할 영토 안의 삶이다. 그러나 이 영토는 마귀에 의해 훼손되고 파괴되었다. 어떤 사람은 마귀에게 속아 넘어가 이 영토를 마귀에게 완전히 점령당하여 모든 주권도 마귀에게 빼앗겨 노예처럼 끌려 다니는 인생을 살고 있다.

### 잃어버린 나의 인생의 영토를 탈환하라

잃어버린 나의 인생의 영토를 다시 탈환해야 한다. 훼손되고 파괴되고 망가진 나의 인생의 영토를 만물을 소성케 하는 하늘의 생명력으로 가득 찬 영토로 회복시켜야 한다. 그러기 위해서는 다음과 같은 결단과 행동이 따라야 한다.

### 1. 마귀를 대적하라

마귀는 죄의 원천, 속이는 자, 살인자, 거짓의 아버지다. 마귀는 하나님의 말씀을 왜곡시키는 작업을 한다. 그리고 교묘하게 우리를 속여서 우리 인생의 영토를 파괴하고 불법으로 점령하려고 늘 사람의 주변을 배회한다. 빈틈을 노려 영토의 담벼락을 허물어 그 틈을 통해 슬금슬금 들어와 불법으로 우리의 고유한 영토를 불법으로 점령하려고 온갖 방법과 전략을 사용한다. 마귀에게 문을 열어 준 사람과 마귀로 하여금 영토의 담을 헐도록 방치한 사람들에게 마귀는 불법 침입자요 불법 점령자로 영토 안에 들어와 그 사람의 인생 영토를 점령하고 망가뜨리기 시작한다.

이 불법 점령자에게 영토를 배앗긴 사람은 마귀의 노예로 전락한다. 존재가 지워진 것처럼 취급을 받고 살아간다. 꿈도 희망도 더 이상 없다. 하루하루 생존을 위해 처절한 사투를 벌이며 거친 정글 같은 세상을 살아 간다.

**"너희는 너희 아비 마귀에게서 나와서 너희 아비의 정욕을 행하고자 하는도다. 그는 처음부터 살인자였으며 진리 가운데 거하지 아니하였으니, 이는 자기 안에 진리가 없음이라. 그가 거짓말을 할 때는 자신에게서 우러나와 한 것이니, 이는 그가 거짓말쟁이요 또 거짓말의 아비이기 때문이라." 요한복음 8:44**

마귀를 대적하라. 마귀를 나의 영토에서 물리쳐라. 불법 침입자요 불법 점령자를 몰아내라. 성경은 마귀를 대적하라고 분명하게 말하고 있다. 하나님께 복종하고 마귀를 대적하면 마귀가 도망간다. 하나님의 자녀들에게는 이 권세가 주어졌다. 마귀를 예수님의 이름으로 대적하라.

**"그러므로 하나님께 복종하라. 마귀를 대적하라. 그리하면 그가 너희로부터 도망하리라." 야고보서 4:7**
**"그 큰 용 즉 저 옛 뱀 곧 마귀라고도 하고 사탄이라고도 하며 온 세상을 속이는 자가 내쫓기더라. 그가 땅으로 내쫓기니 그의 천사들도 그와 함께 내쫓기니라" 요한계시록 12:9**

## 2. 나의 원래 인생 영토의 모습을 이해하고 있어야 한다.

'나'는 하나님의 형상으로 지음을 받은 존재, 하나님의 가족, 하나님 자녀, 왕의 자녀, 하나님 아버지의 아가페 사랑을 입은 자, 축복의 근원인 하나님 나라에 접속되어 있는 자, 나의 행위나 나의 의가 기준이 아닌 나의 존재 자체로 하나님께서 기뻐하시는 하나님의 자녀, 율법이 아닌 하나님의 은혜를 힘입어 사는 존재, 다 가진 자, 천대에 이르는 하나님의 복을 유업으로 받은 자, 영원한 생명을 얻은 존재, 천국을 소유한 자, 천국에서 하나님 아버지와 함께 영생 복락을 누릴 자, 예수님의 이름으로 마귀를 대적하여 물리칠 수 있는 권세를 갖고 있는 자, 축복을 선포하고 누릴 수 있는 자, 하나님 나라의 선한 영향력을 주는 자, 열방에 예수 그리스도를 증거하는 사명을 가진 자, 치유를 선포하는 자, 예수 진리를 통해 자유를 얻은 자, 창조주 하나님 아버지와 함께 세상을 다스리고 하나님 나라의 선함으로 통치하는 자, 예수 그리스도 안에 있는 자, 내 안에 예수 그리스도가 나를 성전 삼고 있는 존재로 인해 귀신들과 마귀가 벌벌 떨고 도망가는 자, 화평을 전하는 자, 돕고 섬기는 자, 천사들도 나를 돕고 섬기는 구원의 상속자이다(히1:14).

## 3. 예수를 바라보라

예수 그리스도는 창조주 하나님이시다. 생명의 근원이시다. 복의 근원이시다. 영원히 목마르지 않는 생수의 강을 내 인생 안에 흐르게 하시는 분이시다. 말씀으로 세상을 창조하신 분이시다. 내 영과 삶을 소성케 하시는 분이시다. 나의 참 목자, 나의 기업, 나의 산성, 나의 요새, 내가 의지할 바위, 내 인생의 반석이시다. 그분은 나를 온전케 하시는 분이시다. '죽음과 부활"로 구원을 완성하신 분이시다. 십자가에서 내가 받을 죄의 형벌과 저주 그리고 과거와 현재와 미래의 죄까지 다 담당하시고 영원히 해결해 주신 분이시다. 예수님은 길이요 진리요 생명이시다.

### 4. 예수 그리스도 안에 거하라

예수 그리스도 안(In Christ)의 삶은 예수님께서 "다 이루었다" 라고 선언하신 그 말씀을 힘입어 그분을 통해 사는 인생이다. 내 인생, 내 사역, 내 사업 다 그분의 것이다. 그분이 세상을 창조하시고 운행하시는 왕이시다. 나는 왕의 자녀이다. 왕의 길을 가는 인생이다. 은혜로 사는 인생이다. 예수 그리스도의 의를 힘입어 사는 인생이다. 더 이상 정죄함이 없는 인생이다.

이제 예수 그리스도와 함께 내 인생 영토를 불법 점령하고 있는 마귀를 물리쳐라. 몰아내라. 파괴되고 훼손되고 망가진 영토를 하나님의 생명의 말씀으로 기경하라. 빼앗긴 자유를 회복하라. 노예의 근성에서 벗어나라. 고아의 영을 물리쳐라. 마치 하나님 아버지 없이 버려진 것처럼 존재감 없이 사는 그림자 같이 스스로를 여기는 거짓의 사슬을 성령의 검으로 끊어 버려라. 예수 그리스도의 보혈로 잃어버린 영토를 탈환하라. 성령의 불로 모든 거짓된 영들을 불살라 버려라.

### 영토 회복과 경계선 세우기

나와 세상을 변화시키는 리더십 만들기에 있어서 중요한 것은 잃어버린 내 인생 영토를 다시 찾는 것이다. 이 영토는 나를 위해 하나님께서 만드신 고유한 영토이다. 나의 영적 터전, 삶의 터전, 꿈, 비전, 일터, 가정,

가족, 내가 속한 사회 공동체까지 포함되어 있는 개념이다. 불법 점령군(마귀)에게 배앗겼던 영토를 되찾아 그 영토 안에 하나님의 생명의 강물이 흐르게 하여 그 영토를 적시게 하라. 하나님께서 주신 내 인생의 고유한 영토 안에 다시 하나님의 생명력으로 가득하여 모든 것을 소성케 하라. 하나님 나라의 기쁨과 즐거움으로 그 영토를 채우라. 하나님이 주시는 평강으로 넘치게 하라. 하나님의 부요함으로 가득하게 하라. 예수 그리스도 안에서 그리고 예수 그리스도와 함께 이 영토를 다스리고 가꾸라.

나의 인생 영토에 '경계선'을 세우라. 경계선은 소유권을 구분 짓는 선이다. 나의 물건, 나의 땅, 나의 가족, 나의 감정, 나의 생각, 나의 행동, 나의 태도가 이 소유권 안에 포함되어 있다. 내게 속해 있는 것에 대해서, 그리고 상대가 함부로 해서는 안되는 것에 대해서, 내가 허용할 수 있는 영역에 대해서, 내가 할 수 있는 것과 할 수 없는 영역에 대해서 상대에게 알려줘야 한다. 그리고 '경계선'을 세우는데 있어서 나와 상대를 배려하고 존중하는 것이 핵심이다.

어떤 자녀가 중학교 때부터 써 온 일기장이 있었는데 그는 일기장을 매우 중요하게 생각하고 있었다. 그런데 어느 날 아버지가 자녀에게 물어보지도 않고 일기장들을 폐품 처리장에 버렸다고 생각해 보라. 아버지에게는 방 한 켠에 쌓인 그 일기장 노트들이 중요한 것이 아니라 버려야 할 폐품 쓰레기였던 것이다. 아버지는 자녀의 고유하고 중요한 경계선을 무단으로 넘어가 자녀의 영토를 침범하여 그 영토를 훼손한 것이 된 것이다. 이것이 반복되면 자칫 자녀의 인생 영토를 망가뜨릴 수 있다. 아버지와 자녀와의 관계도 훼손될 수 있다. 이 훼손을 막는 방법은 건강한 경계선을 세우는 것이다. 자녀는 아버지에게 자신의 경계선을 알려 줄 필요가 있다.

존중해야 하고 조심해야 할 영역을 알려줘야 한다.

우리는 서로 상대의 삶의 경계선을 배려하고 존중해야 한다.

어떤 부부에게 있었던 일이다. 어느 날 남편은 냉장고에서 아내가 반 먹고 남은 햄버거를 물어보지도 않고 먹어 버렸다. 남편은 전날에 자신 몫의 햄버거는 이미 먹어 버렸다. 나중에 아내가 일 끝나고 집에 돌아와 저녁 식사를 준비하기 전이라 배가 고파서 냉장고에서 전날에 먹고 남은 자신의 햄버거를 찾다가 남편이 먹은 것을 알게 되었다. 아내는 매우 불편한 마음을 남편에게 전했다. 남편도 몹시 마음이 상했다. 그까짓 먹다 남은 햄버거를 허락없이 먹었다고 이렇게 화를 내는 아내가 못마땅했다. 말싸움이 오고 가다가 둘은 차분히 자리에 앉아 속 마음을 나누는 시간을 가졌다. 아내는 비슷한 사건이 반복되고 있다는 느낌을 받아서 남편이 자신을 존중하지 않고 있다고 생각하게 되었다. 먹다 남은 반쪽 햄버거가 아내에게는 중요한 소유물일 수 있다. 남편이 허락없이 자신의 소유물을 처리한 것은 마치 남편이 자신의 고유한 영토의 경계선을 무단으로 침범한 격이 된 것이다. 남편에게 있어서는 자신이 남긴 햄버거를 가족 누군가가 먹는 것이 남편에게는 큰 문제가 아닐 수 있다. 이 문제를 아내가 속이 좁다는 식으로 치부해서는 안 될 사안이다. 이것은 사람 관계 안에서 '경계선'의 중요성을 알려주는 좋은 예가 된다. 내가 중요하지 않게 생각하는 어떤 것이 상대는 중요하게 생각하는 것일 수 있다.

우리는 공동체 안에서, 직장 안에서, 친한 동료와의 관계 안에서, 부부 관계 안에서 그리고 심지어 어린 자녀와의 관계 안에서 이 관계를 더욱 튼튼하고 건강하게 만들어 줄 '경계선'을 갖고 있어야 한다. 그리고 경계선의 영역을 상대에게 알려줘야 한다. 그리고 서로의 경계선을 배려하고 존중해야 한다.

**"나와 세상을 변화시키는 리더십을 만들기 위해서 먼저는 하나님께서 주신 고유한 내 인생 영토를 회복하고 잘 가꾸고 지키라. 그리고 그 인생 영토에 건강한 경계선을 세우라. "**

### 일터가 선교현장이 되게 하라

예수님은 점진적으로 세계 선교 비전을 말씀하셨다. 즉 나사렛- 다른 동네 - 다른 마을- 다른 지역- 모든 족속-땅 끝의 순서를 제시하였다(마 11:1절, 막 1:38절, 마 9:35절, 행 1:8절). 또한 마태복음 8장에서 로마 백부장과의 만남을 통해 이방 선교가 로마를 통해서 이루어진다는 것을 예수님은 예표적으로 알려 주셨다. 이것은 예수님께서 복음사역의 흐름과 방향을 알려주시려는 것이었다.

필자는 선교는 하나님의 비전이고 성경 전체에 흐르는 핵심 주제 중의 하나라고 보고 있다. 예수님은 소수에 집중하셨지만 세계를 품은 제자 또는 세계를 품은 예비 리더를 길러내어 예수 공동체를 세계 곳곳에 만들어 가게 하시는 방법으로 세계선교를 이루어 가시는 킹덤 리더십을 완벽하게 발휘하셨다.

지도자들과 모든 그리스인들은 선교적 리더십을 발휘해야 한다. 일상의 삶에서 일터에서 하나님 나라의 영향력을 줄 수 있도록 노력하는 삶을 살아야 한다. 세계 선교의 실현은 내 삶의 작은 일상에서 시작되기 때문이다.

그리스도인들은 이미 하나님 나라의 축복의 원천에 연결되어 있다. 먼저 하나님 나라를 위해 담대하게 구하라. 세계 선교를 위한 선교적 리더십을 위해 하나님께 구하라 그러면 하늘의 복의 원천으로부터 우리 인생 안으로 연결되어 있는 하늘 나라 파이프 라인을 통해 나의 모든 필요들이 넘치도록 채워지는 역사가 있을 것이다. 그리고 내 일터와 생업의 현장도 주께서 하늘의 복으로 부어 주시는 역사가 일어날 것이다.

하나님 나라의 리더십을 가진 사람은 세계 선교의 비전을 품고 삶의 현장을 선교의 현장으로 만들어 그곳에서 하나님 나라의 선한 영향력을 전달하는 사람이다.

# 로버트 클린턴의
# 리더십 이론 배우기 3.

# 로버트 클린턴의 리더십 이론

로버트 클린턴 박사는 필자의 스승이기도 하다. 필자가 미국 파사데나 소재의 풀러신학교에서 박사 과정을 하고 있을 때 로버트 클린턴 교수님으로부터 리더십 강의를 한 학기 듣는 기회를 가질 수 있었다. 나의 삶 속에서 있었던 실패와 절망의 사건 조차도 하나님께서는 하나님의 사람으로 만들어가는 재료로 사용하신 다는 그의 강의에 큰 위로와 힘을 얻었다. 로버트 클린턴 교수의 리더십 이론은 전세계 많은 사람들에게 선한 영향력을 끼쳤다. 필자는 그의 리더십 이론을 소개하고자 한다. 이것은 당신의 인생을 평생의 관점에서 돌보는 것과 이웃과 열방을 위해 선한 영향력을 발휘하는 리더십 개발에 큰 도움이 될 것이다.

로버트 클린턴은 '지도자 평생 개발론'에서 지도자 개발 이론의 핵심을 말했는데, 즉 하나님께서는 생의 전반을 통하여 다양한 방법을 통해 지도자의 삶에 개입하셔서 지도자들을 일으키시고 리더십을 개발하도록 이끌고, 리더십 발전은 지도자의 반응에 따라 이루어진다는 것이다(로버트 클린턴 2011:37). 사람은 살면서 어떤 시간에 어떤 일과 사건을 만난다. 그것은 감정적인 변화가 될 수도 있고, 육체적인 아픔으로 올 수도 있고, 갑자기 실직을 당하거나, 주위에 가까운 사람을 잃는 아픔을 직면하기도 하고, 영적으로 혼돈이 오고, 침체가 오며, 물질을 통해 유혹을 받기도 하고, 성적인 유혹에 빠지기도 하고, 이러저러한 사건을 만난다. 그리고 그러한 사건을 직면하면서 어떤 과정을 지나게 된다. 그 과정을 통과하는 기간은 모호하고 길게 느껴지기 도하고, 힘들고 고통스러운 시간이 되어 그 사건에 대한 반응을 부정적으로 하여 자기를 탓하고, 남을 탓하거나, 하나님을 탓하고, 책임전가를 하면서 직면한 어려움들을 더욱 힘들게 만드는 사람이 되기도 한다. 그러나 같은 시간에 비슷한 어려움에 직면했더라도 그 과정을 통과하는 방법을 모색하고, 긍정적이고 믿음의 반응으로 반응한다면 결과는 달라질 것이다. 지도자는 긍정적이고 적극적으로 반응할 필요가 있다.

로버트 클린턴은 '시간선' 이라는 툴을 사용하여 지도자의 과거와 현재 동안 어떻게 하나님께서 이끌어 오셨는지를 쉽게 이해할 수 있게 보여 주고 있다(로버트 클린턴 2011b:48). 지도자의 발전단계과정의 변화는 사역 시간선의 발전 단계와 거의 비슷한 시기와 맞물린다. 각 발전단계에 따라 영향력 행사의 범위도 바뀐다는 것이다. 초기발전단계에서는 인성개발과정이 특징적으로 나타난다. 이것은 어린 시절에 나타나는 성품을 말한다. 남에게 사려 깊은 모습, 혹은 말을 잘 하고, 사람들을 돕는 것을 좋아하는 등, 인성개발이 되는 과정에서 부모님에게 잘 교육을 받으면서 성장한 사람도 있지만, 그러한 기회가 없이 자란 사람들에게는 결핍 부분 때문에 성장 후에도 사람과의 관계가 힘들게 되고, 사건을 직면하는 태도도 다르게 된다. 그러나 하나님께서는 그 사람이 어느 시점에서 더 큰 그릇이 되고, 푸근한 사람이 되기를 바라신다. 어떤 일을 직면하면서 사람은 비로서 자신의 한계를 깨닫기도 한다. 지도자의 훈련 과정에서 이러한 사건과 과정 그리고 반응은 반복적으로 나타나게 된다.

사역과정은 능력과정이라고 부르기도 한다. 우리가 지금 어떤 단계에 와 있는가를 구분 짓는 두 번째 요소는 경계선 과정이다. 경계선 과정에는 위기, 진급, 새로운 사역, 중요한 새 이론의 학습, 특별한 체험, 어떤 중요한 사람을 만남으로 삶이 변화하는 일, 주님의 인도를 받는 신비한 체험, 지리적 이동 등의 포함된다. 필자도 크게는 세 번의 경계선을 경험하였다. 첫 번째는 결혼과 자녀 출생이었다. 두 번째는 한국에서 부교역자로 교회를 섬기다가 선교사 훈련을 받고 온 가족과 함께 중국에 가서 선교사로 타 문화 사역을 시작한 것인데 특히 두 번째 경계선은 고향과 조국을 떠나 낯선 나라와 문화 속에서 살아 가는 것이라 인생에 큰 획을 긋는 사건이었다. 새로운 언어를 배우고 다른 나라 사람들을 사귀고 전도하여 양육하는 과정 속에 필자는 하나님의 깊은 손길을 경험하게 되었다. 필자에게 있어서 세 번째 경계선은 선교지에 나온 지 9년 만에 첫 안식년을 갖게 된 것인데 필자는 미국 풀러 신학교에서 교수님들로부터 귀한 배움의 기회를 가지면서 지난 사역을 정리해보며 고쳐야 할 부분들을 알게 되면서 선교의 새로운 안목을 가질 수 있는 기회를 갖게 되었다. 이 시기는 일반적으로 변화를 예고하는 신호등처럼 지도자의 인생에 나타난다고 클린턴은 말한다(로버트 클린턴 2011a:85).

하나님께서는 잠재적 지도자의 전 생애를 통해 계속 다듬어 가시고 발전시켜 나가신다. 그 이유는 지도자가 영적 권위를 가지고 사역할 수 있도록 하기 위함이다. 클린턴은 영적 권위는 인격에서 흘러나오는 감화력으로 보고 있다. 즉 사람의 존재와 인격에서 영향력 또는 감화력이 흘러나온다는 것이다(2011:92).

아래에서는 지도자의 삶에 놓여 있는 과정은 어떤 것인지 살펴보도록 하겠다.

로버트 클린턴은 지도자의 전체 삶을 분석해 본 결과 삶의 과정은 주권적 토대, 내적 성장, 사역 성장, 생의 성숙, 수렴과정, 회상, 또는 축제의 단계인 제6단계가 있다고 말한다. 또는 기초과정, 인성 개발 과정, 사역 과정, 수렴 과정, 인도 과정 등으로 보기도 한다(2011:83). 각 단계에 대해서 조금 더 구체적으로 살펴보기로 한다.

### 1단계: 주권적 토대

하나님은 개인의 성품 형성, 그 동안 겪은 경험들과 사건들을 사용하신다. 하나님은 이 과정에서 기본적인 성품과 인성 그리고 가치관들이 형성되게 하시는데 이것들을 결국 하나님께 사용하신다(J. 로버트 클린턴 & 리차드 W. 클린턴 2016:52). 필자가 만난 한 지도자는 중국내 소수민족이었다. 대학에서 법학을 전공하였지만 중국 내 가난한 서민층들과 특히 소수민족들이 겪어야만 했던 사회적 불이익 등이나 빈부격차에 대한 반감으로 중국 공산당 체제에 대해 늘 불만을 갖고 폭력의 방법으로 사회가 바뀌었으면 하는 바람을 갖고 살다가 복음을 듣고 예수님을 만나 중국 가정교회 지도자가 되었다. 변호사이면서 동시에 가정교회 지도자의 사명을 감당하는 그는 오직 복음운동으로만 사람과 사회가 바뀔 수 있다는 것을 고백하였다. 이제는 중국 안에 복음으로, 오직 예수 그리스도를 통해서 하나님 나라가 도래하기만을 고대하고 있다는 그의 고백을 통해 이 지도자 안에 역사하셨던 하나님의 주권을 볼 수 있었다.

### 2단계: 내적 성장

회심경험은 1단계와 2단계의 경계선을 만들어 주기도 한다. 또한 주님을 향한 헌신을 결단하기도 한다. 내적 성장 단계에서는 기도와 주님의 음성을 듣는 삶의 중요성을 배우면서 사역에 참여하게 된다. 예비 리더는 지역교회나 신학교를 통하여 정규훈련을 받게 되는데, 하나님께서 가르치시고자 하는 것을 배우면 사역이 지경이 넓어지지만, 그렇지 못하면 다시 반복되는 시험을 거치게 된다. 로버트 클린턴은 내적 성숙의 단계에서 하나님께서 중점을 두고 계시는 것은 '지도자의 속사람의 개발'이라고 말한다(로버트 클린턴 2011a:56).

내적성장이 되는 1 단계와 2 단계 중에 인격을 다듬는 과정 중에서 지도자의 마음을 시험하기 위해서 하나님은 지도자로 하여금 진실성 검증, 순종 검증, 말씀 검증, 믿음 검증을 직면하게 한다

### 진실성 검증

"하나님께서는 지도자의 역량을 확장시키는 기초로 진실성 검증을 사용하시는데 이것은 내적 확신들과 외적 행동들 사이의 일관성을 평가하기 위해서 사용된다. 종류들로는 유혹, 상환, 가치검증, 충성, 인도하심, 사역 비전에 반하는 갈등, 리더십 반발, 박해 등이 있다"(로버트 클린턴 2011b:181). 요셉은 성적 유혹을 이겨냈다. 다니엘과 세 친구도 우상숭배의 유혹을 이겨냈다. 진실성 검증을 통해 지도자의 지도력은 한층 강력한 영향력을 행사할 수 있게 된다.

진실성 검증의 예를 들어본다면, 사람들은 살면서 여러 번 진실성 검증을 직면하게 된다. 어떤 때는 누가 거스름을 더 주었을 때에, 거스름이 생각보다 더 많이 왔으니 분명하고 정직한 태도로 돌려주는 것은 진실성 검증에서 통과한 것이다.

## 순종검증

지도자는 다른 사람에게 순종의 면에서 영향을 미치기 위해 먼저 자신이 복종하고 순종하는 법을 배워야 한다. 지도자는 하나님의 음성을 분별하고, 이해하고 순종해야 한다. 이것은 지도자 개발 초기에 학습되고 평생을 통해 반복된다. 순종검증의 종류에는 소유하기, 배우자 선택과 하나님을 우선적으로 두는 것에 관한 학습, 사역에서 하나님께 사용되기를 바라는 마음, 하나님께서 보여주신 말씀을 기꺼이 신뢰하고 붙드는 것, 용서하기, 무언가를 고백하는 것, 계속되는 잘못을 바로잡는 것 등이다. 순종과 복종의 시험을 받을 때 지도자들은 부정적으로 반응할 수도 있고, 긍정적으로 반응하여 즉각적으로 순종할 수 있다. 긍정적으로 순종할 때는 주께서는 더 많은 진리들을 깨닫게 도우신다(2011:182-183).

필자도 여러 번 순종에 대한 점검을 받았다. 청년 시절에, 교회에서 말씀을 듣다가 성령의 감동을 받아 교회건축 헌금을 약정했다. 그 해 말까지 헌금하기로 했지만 낼 수 있는 재정이 내게는 없었다. 그냥 지나칠 수도 있지만, 작정헌금을 할 수 있는 재정을 달라고 기도하였다. 그러던 어느 날 교회 청년부 한 선배로부터 함께 울릉도에 가자고 제안을 받았다. 그 선배의 고향이 울릉도였는데, 농장일을 도와 달라는 것이었다. 필자는 선배를 따라 울릉도에서 한 달 반을 열심히 일하며 지냈다. 울릉도를 떠나던 날 선배님의 친 형으로부터 격려금을 전달받았다. 물론, 일한 것에 대한 보수로 주신 것이지만 내게는 기대를 하지 않고 있던 돈이었다. 그 액수는 필자가 그 해까지 약정한 교회건축 헌금액수를 조금 초과하는 것이었다. 필자는 미련 없이 약정한 헌금을 냈다. 그 외에도 많은 순종의 시험을 거치는 경험을 갖게 되었다.

아브라함은 본토 친척 아비집을 떠나라는 하나님의 음성을 듣고 순종하였다. 당시 자신을 보호해 줄 수 있는 고향과 가족 공동체를 떠나는 것은 곧 죽음을 각오해야만 하는 상황이었다. 그러나 아브라함을 이 순종의 시련을 통과하였다. 요나는 니느웨로 가서 하나님께서 말씀하신 것을 선포하라는 하나님의 음성을 부정적으로 반응하였다. 결국 죽음의 문턱까지 가는 어려운 시련을 겪고서 순종하게 되었다. 베드로는 이방인이자 로마 군부대의 백부장이었던 고넬료를 찾아가라는 주님의 음성에 순종하였다. 그 결과 로마 군대 백부장 고넬료와 그의 온 가족이 예수님을 믿고 구원을 얻었다. 필자는 진실성과 순종은 동전의 양면과 같다고 본다. 진실성과 순종의 훈련은 리더십 훈련에 있어서 매우 중요한 부분이다. 이것은 불신으로 가득 찬 사회 안에 하나님의 나라를 이루게 하는 기초가 될 수 있기 때문이다.

### 말씀검증

하나님으로부터 진리를 받는 능력은 리더십의 근본이 되는 특성이다. 그리고 이 영향력은 하나님의 진리를 다른 사람에게 확인해 주는 기능에서 나온다. 지도자는 하나님 말씀을 개인적으로 받고 이해하면서 삶에 적용하고자 하는 갈망을 가져야 한다. 지도자들은 평생을 거쳐 삶, 사역, 인도하심, 성품형성을 위해서 말씀을 의지해서 살아간다. 이 말씀 검증을 잘 통과하면 하나님의 음성을 더욱 잘 들을 수 있게 되고 진리를 더 명확하게 만들어 준다(로버트 클린턴 2011b:187-188). 지도자는 말씀을 사모하여 날마다 말씀을 상고하며, 연구해야 한다. 날마다 영의 양식인 말씀을 먹지 않으면 영적 기아 상태가 되어 영향력을 상실하기 때문이다. 말씀 검증은 마치 겨울에 살얼음 위를 걷듯이, 지도자들이 말씀을 붙잡고 한 걸음 한 걸음 살피며 나가야 함을 말한다.

### 믿음 검증

지도자는 비전을 품은 사람들이다. 그 비전은 하나님으로부터 온다. 지도자들은 이 비전을 보고 그 비전이 이루어질 것을 믿고 나가야 한다. 믿음의 검증은 하나님께서 지도자에게 믿음의 첫 걸음을 옮기도록 하면서 그 성취를 보게 하신다. 지도자는 이 초보적인 걸음들을 통해 더 큰 믿음의 발걸음을 내딛게 된다. 즉 작은 걸음이 큰 걸음이 된다는 것이다. 로버트 클린턴은 "믿음의 검증은 그 안에서 하나님의 실재와 신실성이 시험되고 진실임이 보여 질 수 있으며 후에 보다 큰 문제들 앞에서도 하나님을 신뢰할 수 있도록 확신을 심어 주시려는 초기 도전이라고 말하면서, 믿음의 검증들은 믿음에 대한 자극이며 하나님에 대한 믿음에 대해서 인식하는 것이고 하나님께서 원하시는 것과 하실 수 있는 것에 대한 통찰을 하는 것이고 또한 하나님께서 하실 것에 대한 믿는 반응이며 하나님을 믿는 믿음이 입증되는 결과들" 이라고 말한다(로버트 클린턴 2011b:200). 필자가 중국에서 선교사로 있을 때 기도 중에 큰 비전을 보았다. "성령의 파도를 타라! 성령의 파도를 타라!" 라는 영적 외침이 마음에 깊이 와닿았다. 당시에 중국 총칭시 인구는 3500만 명이었고 선교사는 전체 다섯 가정 밖에 안 되는 상황이었다. 당신 초임 선교사로써 그곳에 먼저 오신 선교사님들로부터 주말 한글학교 교장을 맡아 달라는 제안을 받았다. 당시 중경시에는 마땅한 국제학교가 없었고 필자의 자녀들 포함해서 한국 선교사 자녀들이 현지 중국학교에서 공부를 하고 있었다. 선교사 자녀들은 정서적으로 많이 위축되어 함께 격려가 필요한 때였다. 필자가 기도했을 때, 성령님은 주말 한글학교 교장직을 수락하라는 것이었다. 그리고 성령의 파도를 타라는 것이었다. 필자는 중경시 최초의 주말 한글학교 교장직을 수락했다. 일단 토요일 오전 집집마다 돌아가며 모임을 열며 아내와 함께 아이들에게 한글, 미술, 음악, 성경을 가르쳤다. 아이들이 정서적으로 회복되는 것을 볼 수 있었다. 나중에 중경 한글학교는 대한민국 외교통상부에 등록이 되었고, 중국 대한민국 대사관에 홈페이지에 등재가 되어 국가의 지원을 받게 되어 별도의 공간을 갖게 되었다. 선교사 신분으로 복음전도가 어려운 지역에서 필자는 공식적으로 한인학교(한글학교) 교장이라는 직함을 갖고 중국 대학생들과 직장인들을 만나 친구를 사귀고 전도할 수 있게 되었다. 총칭시 최초의 한글학교 안에 최초의 한인교회도 세워졌다. 다시 교장이었던 필자와 부교장 역할을 해 주셨던 선생님과 함께 홍콩에서 총칭시로 사역지를 옮겨 사역을 하고 계셨던 선교사님을 찾아가 한인교회 담임직을 부탁드렸고 그 선교사님은 총칭시 첫 한인교회를 담임하게 되었다. 또 한인교회를 통해 총칭시 첫 한인회장이 배출되었고, 한인신문사도 창업이 되었다. 필자가 당시 총칭시(중경시) 유일한 기관장이었던 이유로 주중대한민국 대사관을 통해 국가간 행사협조 요청을 받고 당시 김하중 대사님 과의 귀한 만남도 세 차례를 가지게 되었다. 대사님은 충칭시 한인교회를 중국 정부로부터 비준을 받도록 도움을 주셨다.

　이처럼 성령님은 많은 열매를 맺도록 역사하셨다. 성령님은 말 그대로 총칭시에 성령의 파도를 일으키셨고 믿음으로 그 파도를 탈 때, 총칭시 최초의 한인학교, 한인교회, 한인회장, 한인신문사를 세워 이 지역에 영적 부흥을 위한 발판을 만들게 하셨다.

지금까지 살펴본 인성개발검증은 지도자의 선한 영향력을 발전시키는데 초점을 맞추고 있다. 이러한 인성은 지도자가 하나님의 목적을 위해 다른 사람에게 영향력을 행사하는 기초가 된다.

### 3단계: 사역성장

잠재적 지도자 들은 사역에 진입하여 본인이 경험한 하나님을 타인에게 전하게 되는데 과거에 받기만 했던 삶을 벗어나 이제는 주는 삶으로 전환시키는 과정에서 하나님은 지도자들에게 다양한 경험들을 하게 하신다는 것이다(로버트 클린턴 2011a:126-127). 우리가 잊지 말아야 할 것은 하나님의 관심은 양적인 것이 아니라 지도자의 인격 개발이라는 점이다. 왜냐하면 하나님께서는 지도자의 존재(Being)에 관심을 가지고 계시기 때문이다.

지도자는 살아오면서 어떤 획기적인 일을 직면하는데, 예를 들어서 돈을 열심히 벌어 크게 성공하는 것을 삶의 목표로 살던 사람이 가까운 사람을 상실하고 나서 인생의 목표가 돈이 아니라 좀더 가치 있는 일에 몰두하고 살겠다는 결심을 한다. 자신이 돈을 가지면 뭐든지 해결할 수 있을 것이라는 신념을 가졌는데, 사람의 목숨은 돈으로도 조정하지 못하고, 하나님처럼 신뢰하고 의지했던 돈도 허망하게 없어지는 것을 경험하면서 내면으로 큰 깨달음을 가지게 된다. 그러면서 내적으로 성장하는 기회가 된다.

하나님께서 지도자를 발전시키는 방법으로 사용하는 두 가지 과정이 있다. 그것은 기초사역 개발과 은사개발이다. 하나님은 지도자가 사역을 시작하기 전에 초청을 통해 지도자가 사역을 감당하도록 하시고, 훈련을 통해 기술과 영적 은사들을 발전시켜서 지도자로 서의 영향력을 향상시키시고, 관계학습을 통해서 유대 관계 안에서 동기를 부여하고 영향력을 미치게 하시며, 분별을 통해 지도자가 하나님을 기쁘시게 하는 사역을 해 나갈 수 있는 영적 원리들을 깨닫도록 도우신다. 하나님은 지도자로 이런 과정을 통해 지도력을 개발하고 발전하도록 도우신다(2011a:127).

필자가 중국에 있을 때 아직 소그룹 셀 개척 경험이 없는 두 명의 제자들에게 아직 셀 공동체가 없는 캠퍼스에서 셀 공동체를 설립할 것을 권면하였다. 6개월 후에 새로운 캠퍼스에 보낸 두 명의 제자로부터 연락이 왔다. 20 여명이 전도되어 셀 공동체가 시작이 되었다는 것이다. 필자는 제자들을 찾아가 필요한 자료를 제공하였고 공동체를 이끌어 갈 수 있는 기술들을 전수하였다. 공동체는 아름답게 세워져 갔다.

클린턴은 사역 단계를 초기사역, 중기사역, 후기사역, 마무리 사역(유종의 미) 등 네 단계로 구분했는데 각 단계는 오랜 기간이 걸릴 수 있다고 말한다. 그럼 각 단계에서 어떤 지도력 개발이 이루어지는지 살펴보도록 한다.

### 초기사역

하나님께서 지도자를 만들어 가면서 먼저 인격부분을 다듬어 주신다. 성품개발은 사역보다 우선한다. 초기사역에서 하나님은 하나님께 신실하고 충직한 사람을 택하여 과업을 주시고 도전하신다. 그렇게 사역은 시작된다. '과업'이 성취해야 할 일에 초점을 맞춘 개념이라면, '도전'은 사역에 잠재적 지도자가 새로운 과업이 필요하다는 사실에 눈 뜨고 하나님으로부터 오는 사명감에 반응하는 과정을 말한다.

하나님의 인도하심을 인식하는 것과 하나님께서 역사하시는 일에 통로가 된다는 것을 발견할 때 오는 기쁨은 도전이 주는 핵심들이다(로버트 클린턴 2011a:128). 과업이란 개인이 받은 은사들을 사역의 현장에서 활용하고 사용하여 성실히 순종하는가를 시험하기 위하여 하나님께서 주신 임무이다.

과업은 또한 시작과 끝, 책임과 평가가 수반되는 임무를 말한다(2011a:131). 초기사역단계에서 과업을 부여하는 가장 큰 목표는 잠재적지도자를 개발하는 것이다. 잠재적지도자는 과업이 하나님으로부터 왔다는 사실을 인식할 때, 거룩한 과업을 이루겠다는 열정을 갖게 된다. 이처럼 초기사역에서는 리더십의 헌신과 성품이 형성되며, 사역의 경험을 갖게 되면서 삶의 목적을 깨닫고 자신에게 있는 은사를 발견하고 알게 된다.

### 중반기 사역

중반기 사역을 통해 지도자는 삶의 목적이 더욱 선명해지고, 자신에게 있는 은사를 확인하면서 자신에게 맞는 역할이 무엇인지 파악하게 된다. 사역을 통해 축적한 통찰력으로 어려움을 돌파하게 되고 사람들에게 능력을 부여하기도 한다. 사역단계에서 중요한 부분은 사역을 완수하는 데 필요한 기술을 습득하는 것이다(로버트 클린턴 2011:129). 일반적인 사역기술을 습득한 뒤 중반기 사역단계에 이르렀을 때에 가장 중요한 일은 영적 은사들을 발견하여 확신을 가지고 사용하는 일이다.

필자가 중국에서 선교사로 사역했을 때 중경지역에서 가장 큰 가정교회 그룹과 협력사역을 한 경험이 있었다. 이 그룹 안에는 최고 지도자가 있었고 그 지도자와 함께 70여 명의 협력 지도자들이 있었다. 10만 명의 성도들을 관리하다 보니 많은 리더들이 필요로 했다. 필자가 만난 중국 가정교회 지도자들은 주를 위해 기꺼이 목숨을 바칠 각오가 있었다. 복음을 향한 열정은 대단했다. 그러나 한 가지 아쉬웠던 부분은 리더십 개발 부분이었고 특별히 은사개발 부분이었다. 지도자 마다 갖고 있는 고유한 은사를 개발하고 또 그 은사에 맞게 배치하여 사역 역할을 맡기면 더 효율적이지 않을까? 하는 생각을 하게 되었다. 가정교회에서 이 부분이 고려되지 않으면 질적 성장에 큰 장애가 될 수 있겠다는 진단을 내렸다. 어느 날, 한 지도자가 찾아왔다. 그는 중국 전체 가정교회 그룹들이 공동으로 훈련하는 선교사 훈련에 참가하여 1년 여 동안 훈련을 마치고 이라크로 파송을 받아 나갔지만 6개월 만에 선교사역을 포기하고 돌아오고 말았다.

　　이 지도자는 필자가 함께 협력했던 가정교회 그룹에서 상위 지도층에 있던 지도자였다. 그는 모든 것을 희생할 각오가 되어 있었지만 은사나 기술적인 부분, 심지어 문화정착에 대한 훈련과 개발 없이 나간 것이 문제였다고 스스로 진단하였다. 필자가 경험한 또 한 예는, 필자의 친구가 한국 인천지역에서 개척하여 교회를 섬긴 지 8년 되었을 쯤 필자는 친구 목회자가 섬기는 교회를 방문하여 주일예배 때 말씀을 전한 적이 있었다. 교인은 9명 정도였다. 교회 성도님 대부분도 친인척 관계의 사람들이었다. 교회가 있는 건물은 매우 시설이 낡았고 청결하지도 못했다. 친구 목사는 주중에는 택시회사에서 일하고 토요일과 주일에는 교회를 섬기고 있었다. 예배 후에 친구 목사와 이야기를 나누면서 문제를 발견하였다. 은사개발과 목회개발에 대한 의지의 부재가 문제점이었다. 친구 목사는 그냥 목사 안수를 받았기 때문에 목회를 감당하고 있었다. 필자는 중국 가정교회 지도자들이나 한국교회 지도자들 또는 선교사들 모두 영적 은사를 알고 개발하여 은사에 따라 사역을 감당하면 더 아름다운 열매를 얻게 되고 사역이 더 확장될 수 있을 것이라고 확신한다.

리더십 개발에 이처럼 중요한 은사개발에 대해서 언급을 하면 흔히 성령의 은사들에 대해서만 생각을 하기 쉽다. 그리고 특정 교단이나 특정 단체를 떠올려 경계하려는 다소 편협한 사고에 갇힐 수도 있다. 그러나 이 은사는 우리의 전 인생에 걸쳐 연관이 되어있다. 우리가 주님을 믿기 전부터, 우리가 주님을 알기 전부터 하나님은 우리의 삶에 개입하셔서 섭리하시고, 이끄시고 필요한 것들을 공급해 주고 계신다. 우리는 이미 일반은총의 선물을 누리고 있음을 간과해서는 안 된다. 이런 점에 로버트 클린턴의 은사론은 큰 공감대를 만들어 주고 있다.

클린턴은 영적 은사와 더불어 우리가 부모로부터 물려 받은 자연적 재능들과 삶의 과정에서 습득된 기술들도 다 하나님께서 우리에게 주신 은사에 속한다는 사실을 주장한다(로버트 클린턴 2014:14). 우리는 태어날 때부터 가진 능력, 기술, 재주, 적성이 하나님이 우리에게 주신 은사라고 생각하지 않을 수 있다. 내가 배워서 얻은 것이라고 생각하기 쉽다. 그러나 다시 생각해 보면 하나님께서 건강 주시고, 지혜 주시고, 환경과 여건을 만들어 주셨기에 그것을 배울 수 있었다. 이런 점을 인식하게 되면 우리 삶 전체를 통해 하나님의 은혜를 깨닫게 되고, 내가 갖고 있는 재능과 습득된 기술을 하나님의 나라와 영광을 위해 잘 활용하게 된다.

클린턴은 특히 지도자들이 자신들이 갖고 있는 영적 은사를 발견하고 확신을 가지고 사용해야 함을 강조하면서 자연적 재능이나 습득된 기술들이 이런 영적 은사를 강화 시킬 수 있다고 말한다. 또한 그는 만약 우리가 하나님께서 우리에게 주신 자연적 재능이나 영적 은사를 확인하고 그것을 사용하기 위해 필요한 기술을 의도적으로 습득하는 가운데 평생에 걸쳐 계속 발전시키는 사람이 된다면 하나님은 우리를 영향력 있는 지도자로 이끌어 가신다는 점을 강조한다.

### 경계선 국면

경계선 국면에는 위기, 진급, 새로운 사역, 중요한 새 이론의 학습, 특별한 체험, 중요한 사람과의 만남으로 삶이 변화하는 일, 주님의 인도를 받는 신비한 체험, 지리적인 이동 등이 포함된다.

### 후기 사역

관계학습과 통찰은 성숙사역 과정에서 나타나는 단계인데 관계학습 단계에서는 권위문제가, 통찰력 단계에서는 영적 싸움, 정체장애, 그리고 사역 철학이 나타난다(로버트 클린턴 2011a:156). 그럼 각 단계들을 통하여 하나님께서 지도자들을 어떻게 성숙시키시며, 지도자들이 인내를 통해 리더십을 어떻게 배울 수 있는지 살펴보도록 하자.

### 유대 관계 학습단계

지도자란 사람들에게 하나님께서 원하시는 방향으로 영향력을 행사하는 사람이기 때문에 지도자는 사람들과 효율적으로 관계를 맺는 방법을 배워야 한다. 또한 기존의 조직 안에서 어떻게 사역해야 하는가 하는 것과 발전을 위해 새로운 사역을 만드는 것도 배워야 할 것이다. 유대 관계 학습 안에는 권위 통찰, 관계 통찰, 사역 갈등, 지도력에 대한 반발 등 네 과정이 있는데 이것을 순종 훈련이라 한다(2011a:157). 결국 하나님께서는 이 훈련을 통하여 지도자에게 사역현장에서 권위를 적용하는 법을 가르쳐 주신다. 권위를 개발하는 궁극적인 목표는 영적 권위야 말로 지도력의 주요기반이라는 것을 이해하도록 돕기 위한 것이다.

영적 권위는 하나님으로부터 오며 지도자는 먼저 권위에 순종할 수 있어야 한다. 권위에 순종하는 경험이 없는 지도자는 지도력 개발에 어려움이 올 수 있다. (2011a:158). 예수님도 하나님 아버지께 온전히 순종하시면서 순종의 본을 보여 주셨다. 지도자에게 순종의 의미는 주님의 주권에 절대 복종하여 자기의 전 생애를 그에게 맡기는 것이다.

관계 통찰 과정이란 지도자가 사역을 하면서 사람들 과의 관계에서 긍정적인 또는 부정적인 면 둘 다의 경우를 통해서 배우는 것을 말한다. 그러나 부정적이든 긍정적이든 간에 관계에 대한 원리를 터득하는 지도자는 발전의 전환점을 이룬다(로버트 클린턴 2011a:165).

사역을 하다 보면 다른 사람에게 영향력이 행사되는데 이 과정에서 갈등이 종종 유발된다. 사역 갈등 과정이란 지도자가 사역을 감당하면서 배우는 교훈들이 있는데 갈등의 퇴치, 갈등 해소 방안에 대한 교훈을 깨닫게 되는 것은 지도자의 지도력행사에 중대한 영향을 미치게 된다(로버트 클린턴 2011:166). 무엇보다도 중요한 것은 갈등의 종결이다. 물론 다 아물지 않고 남아 있을 수 있지만 종결을 못하면 하나님께서 주시는 교훈을 얻지 못하게 된다는 것이다(로버트 클린턴 2011a:167). 이 단계에서 배워야할 교훈은 하나님께서 이 갈등을 지도자의 개인적인 삶과 더불어 사역을 통해 이루시려는 선하신 목적을 위해서 사용하신다는 것이다.

사역 성숙단계에 있는 지도자는 권위를 올바르게 사용하는 방법을 배우기 위하여 권위에 순종하는 것을 먼저 배워야 함은 매우 중요한 지도자 훈련 원리이다(2011a:168).

　순종 훈련의 네 번째 과정인 '지도력에 대한 반발'은 사역갈등의 특수한 경우로써, 지도자가 반발을 경험한다는 것은 다른 사람들 과의 갈등을 통해 하나님께 더 깊이 순종하는 법을 배우게 된다. 지도력에 대한 반발은 지도자의 끈기, 분명한 비전, 그리고 믿음을 시험하며, 대개는 순종 훈련의 과정들과 맞물려 있다. 그러나 하나님께서는 일반적으로 복잡 다양한 과정을 사용하여 속 사람의 성숙을 도모하시며 그 어려움을 이기게 도우신다.

### 영적 분별력

　하나님께서는 지도자를 성숙시키기 위해 영적 요소에 대한 안목을 키워 주신다. 그러므로 지도자는 보이는 세계의 배후에 분명히 존재하는 영적인 세계가 있음을 알아야 한다. 또한 사역에서 하나님의 능력만을 의지하는 것도 배워야 한다(2011a:171). 지도자는 전 생애를 통해 믿음, 기도, 영향력, 그리고 신령한 체험 및 사역과정에서 하나님의 음성을 알아듣고 영적 세력을 분별하는 기능을 필요로 한다. 그리고 영적 싸움을 수행할 능력이 있어야 한다.

　필자가 중국 가정교회 지도자 훈련을 할 때, 한 중국 여자 지도자가 훈련에 참여하였다. 훈련 초기에 성격은 차분해 보였고 훈련 일정에 잘 참여하였다. 그러나 3개월 합숙하는 동안 감정의 기복이 너무 심하다는 점을 알게 되었다. 금요일이면 훈련생들과 함께 야외 근교에 있는 농장을 방문하여 나무 밑에서 금요 철야 기도회를 하게 되었는데 어느 날 이 여자 훈련생에게서 무언가 이상한 점이 감지되었다. 필자는 대적 기도를 하게 되었다. 그 순간 그 여성 지도자가 귀신에 잡혀 있음이 드러났다. 필자는 다른 훈련생들과 함께 간절히 이 지도자를 위해서 간절히 기도했다. 이윽고 귀신은 떠나가고 자매는 온전하게 되었다. 이 사건 이후에 감정 기복은 거의 사라졌고 정상적인 감정으로 돌아오게 되었다. 나중에 이 지도자는 자신의 삶을 나누는 자리에서 가끔씩 자살하고 싶은 생각이 스쳐 지나가곤 했다고 한다. 불우했던 과거가 떠오를 때 더욱 그러한 생각이 스쳐지나 갔다고 하였다. 지도자가 눈에 보이는 세계 배후에 있는 영적 세력을 분별하는 것은 중요하고 필요한 영적 능력이다.

## 능력

은사적인 능력, 기도의 능력, 영적 대결, 조직 형성 능력 등 네 과정은 영적 전쟁에 필요한 능력을 키워준다. 그래서 평소에 믿음을 통하여 하나님의 능력을 사용하도록 훈련시키는데 목적이 있다. 특히 기도의 능력은 구체적인 기도를 통해서 필요한 문제를 해결하는 어떤 상황이나 필요를 말한다. 이 기도에는 하나님의 능력과 지도자의 영적 권위에 대한 신뢰가 분명하게 나타나면서 응답된다. 기도는 지도자가 반드시 가져야 할 습관으로 하나님과의 소통을 향상시키고 사역의 비전을 유지시켜주는 역할을 한다. 필자에게는 사업가 친구가 있다. 그는 매일 3시간을 기도한다. 하나님이 기업의 주인이시기 때문이라는 그의 고백은 필자의 마음에 큰 감동으로 남아있다. 어느 날 신학교 동기가 필자를 찾아왔다. 그는 부목사로 15년 이상을 한 교회를 섬기다가 교회를 개척하였다고 한다. 그는 매일 세 시간 기도를 한다고 한다. "한 시간을 기도하면 자신을 이기고, 두 시간을 기도하면 마귀의 공격을 이기고, 세 시간을 기도하면 기적이 일상이 된다."

는 모토를 정하고 또 그렇게 믿고 기도에 정진하고 있다고 한다.

데살로니가 전서 5장 16-18절에서 "항상 기뻐하라, 쉬지 말고 기도하라, 모든 일에서 감사하라" 이 세 가지는 그리스도 예수님 안에서 모든 그리스도인들에 대한 하나님의 뜻이라고 말한다. 예수님도 군중으로부터 잠시 벗어나 한적한 곳을 찾아 홀로 하나님과 기도를 통해 영적 교제의 시간을 정기적으로 가지셨다. 기도는 예수님께서 하나님 아버지로부터 힘을 얻는 통로였다. 지도자에게 기도는 더욱 반드시 가지고 있어야 할 영적 습관이다.

## 정체 장애

때때로 사역의 후반 과정에서 성장이 중단되는 지도자들이 있다. 이것을 정체 장애라 한다. 어떤 지도자는 어떤 경험이나 기술 한 가지 습득한 것으로 만족하고 더 이상 성장에 대한 의지가 없는 경우가 있다. 그런 지도자는 더 발전하지 못하고 발전이 끝나기도 한다. 그러나 하나님은 지도자의 전 생애를 통해 발전시키기를 원하신다. 지도자는 하나님이 부르시는 그 날까지 나이가 80이든 90이든 상관없이 계속해서 배움의 자세를 갖고 자신을 발전시켜야 한다. 이것이 지도자가 가져야 할 삶의 자세이다.

지도자가 정체 장애가 있으면 더 이상 영향력은 발휘할 수 없다. 영향력이 사라진다. 마치 솥 단지 하나 걸어 놓고 남은 평생 우려먹자는 식의 삶의 태도는 절대 금물이다. 또는 사역이 위축되거나 제한이 있어서 그 사역으로부터 물러나게 되는 경우도 있다. 정체 장애가 원인이다. 정체의 장애의 원인은 평생의 관점에서 자신을 개발할 의지가 없기 때문에, 정적 기술과 전문성 개발을 계속해서 하지 않았기 때문에, 하나님 과의 생동감 있는 영적 교제가 사라졌기 때문에 그리고 죄의 문제나 삶의 문제에 갇혀 있기 때문이다.

지도자는 정체 장애의 문제를 해결하기 위해서 1. 기도에의 도전이 있어야 한다. 기도는 하나님께서 계속해서 강조하시는 인격 요건이다. 하나님은 자신의 계획을 지도자에게 알리시고 기도로 준비케 하신다. 지도자는 하나님께서 어떤 사역으로 혹은 어떤 미션으로 부르실 때 기도해야 한다. 기도가 사역과 미션의 시작이다. 2. 믿음에의 도전이 있어야 한다. 믿음을 키우는 것은 지도가에게 큰 도전이다. 믿음의 도전은 늘 현재의 이해를 초월하여 다가온다. 이성으로는 도저히 시작조차 할 수 없어 보이는 것을 향해 믿음으로 발걸음을 내딛어야 한다. 이것이 믿음에의 도전 과정이고 그 보상으로 주시는 기적적(하나님의 방법)인 체험을 하고 사역을 성취하는 경우를 말한다. 하나님의 신실함은 지도자가 장래 사역에 대해 하나님을 더 신뢰할 수 있게 해준다. 믿음의 도전에는 세 가지 요소가 있다. 1) 장래 계획에 관한 하나님의 어떤 계시. 2) 이 계시에 근거해서 행동하려는 하나님의 도전에 대한 지도자의 자세. 3) 견고한 확신에 근거하여 지도자가 결단을 내리려고 결심하는 자세. 마태복음 6장 33절은 먼저 하나님의 나라와 그의 의를 구하면 이 모든 것을 더하시겠다는 하나님의 약속의 말씀이다. 하나님의 자녀들의 필요를 하나님은 채우신다. 이 믿음이 있어야 한다.

3. 영향력에의 도전은 지도자가 정체 장애를 극복하는데 도움을 준다. 이것은 지도자가 자신의 영향권을 확대하도록 하나님께서 주는 충동을 느끼는 경우를 말한다. 1차 선교 여행지역에 바나바와 바울을 파송하는 일은 안디옥 교회로서도 큰 도전이었다. 바울과 바나바도 이 일이 영

향력에의 도전 과정이었다. 사도 바울은 편지를 통해 영향권을 지속적으로 확대했다. 심지어 그가 쓴 서신서를 통해 2024년 현재까지도 영향력을 끼치고 있다.

### 사역 성장 단계의 마감

이것은 사역 단계와 성숙 단계의 사이의 경계에서 잘 나타난다. 사역 성숙 단계에서 발전이 멈추는 지도자들은 사역 역량이 일정 수준에서 정체 현상을 보이며 사역이나 영적 성장이 더디고 어떤 지도자들은 사역이 위축되거나 제한이 와서 그 사역으로부터 물러나기도 한다. 이 두 가지 경우는 중도 포기자에 해당한다.

가장 바람직한 형태는 사역의 의미와 하나님의 간섭하심 등을 살펴보고 사역의 본질에 관련된 철학적인 전환을 모색하는 경우이다. 즉 어떤 일을 하느냐 하는 능력에 초점을 맞추는 태도로부터 사람 됨됨이에서 비롯된 효과적인 사역에 집중하는 자세로 전환한다. 전환은 과업, 장소, 역할 또는 다른 대부분의 경계선 과정과 연관된 일반적으로 보이는 변화처럼 조용히 전환이 일어난다.

사역이 활동 중심의 사역에서 인격 사역으로 전환하는 과정에서 중요한 것은 하나님께서 주시는 영적 권위이다.

열왕기상 19장에서 우리는 심한 두려움과 우울증에 빠진 엘리야 선지자를 만난다. 이세벨의 명령으로 엘리야 선지자를 잡아 죽일 것이라는 소식을 듣고 엘리야는 두려워 도망간다. 갈멜산에서 바알의 대언자 450명과 아세라의 대언자 400명 도합 850대 1의 싸움도 두려워하지 않았던 대담하고 용감했던 모습과는 정반대의 초라한 모습의 엘리야을 우리는 보게 된다. 엘리야는 이세벨의 눈을 피해 광야로 들어가 로뎀나무에 이르러 그 밑에 앉아 죽기를 구하였다. 그러다가 로뎀 나무 밑에 누워 자는데 한 천사가 그를 어루만지며 숯에 구운 방과 물 한 병을 먹으라고 하며 그를 돌보았다. 천사는 두 번이나 지친 엘리야 선지자에게 먹을 것과 마실 것을 공급하며 그를 도왔다. 엘리야는 힘을 얻어 밤낮으로 40일을 걸어 하나님의 산 호렙에 이르렀다. 하나님은 위기와 고립의 상황을 통해 엘리야 선지자에게 새로운 임무를 맡긴다. 그것은 하사엘에게 기름을 부어 앗시리아를 다스릴 왕을 세우는 일과 예후에게 기름을 부어 이스라엘을 다스릴 왕을 세우는 일 그리고 엘리사에게 기름을 부어 후임 선지자 즉 그를 대신할 지도자를 가르치고 세우는 일이었다. 하나님은 위기와 고립의 상황에 놓여있던 엘리야 선지자를 육적으로 영적으로 회복할 수 있게 힘을 주셨다. 그리고 엘리야 선지자가 사역의 전환을 이룰 수 있게 그를 도우셨다. 하나님은 그에게 새로운 임무를 맡기셨다. 결국 엘리야 선지자는 새로운 임무를 담당하는 전환을 이루었다.

하나님은 이 순간 죽기를 구했던 엘리야 선지자처럼 지쳐 있고 힘들고 심히 곤란한 상황을 겪고 있는 당신을 돕기를 원하신다. 하나님은 당신에게 전환을 할 수 있는 새 힘을 주실 것이다. 그리고 당신을 격려해 주시고 새로운 임무를 맡기시고 당신을 복된 자리로 이끌어 주실 것이다. 극심하게 어려운 상황에서 우리를 온전케 하시는 그리스도 예수만 바라보라.

로버트 클린턴 박사는 지도자의 좌절과 중도 포기 경향을 방지하는 수단으로 하나님께서 지도자를 위로와 격려를 통해서 지도력의 궁극적인 목적에 대한 새로운 의미를 제공해 주신다고 하면서 이를 두고 마치 등을 두드려 주시는 하나님의 격려라고 표현하고 있다(로버트 클린턴

2011a:183). 하나님은 심히 곤란한 상황에 놓여 두렵고 기진맥진한 당신의 등을 두드려 주시고 어루만지시며 창조주 하나님으로부터 오는 힘을 얻게 하실 것이다. 당신은 다시 회복될 수 있다 그리고 하나님 나라를 위한 길을 힘있게 걷게 될 것이다.

## 4단계: 생의 성숙

성숙 단계는 지도자가 사역을 하는 중에 만족을 주었던 성령의 은사들에 대해서 파악하면서 그 은사들을 사용하는 단계이다. 삶의 우선순위를 중요하게 여기면서 해야 할 일들과 하지 말아야 것들을 분별하는 것이 얼마나 중요한지를 알게 되는 단계이다. 또한 성숙하고 풍성한 열매를 맺으며 삶 속에서 일어나는 고립, 위기, 갈등들이 새롭게 해석되고 이해된다.

우리는 살면서 질병, 사고, 위기나 갈등 등 예기치 않은 여러 상황을 만나게 된다. 현재 일어난 일에 대해 어떻게 생각하고 있는가? 내가 하는 일 마다 잘 안되는 것 같아 마치 하나님이 나의 길을 막는 것 같은 마음이 들어 하나님을 원망하고 있지는 않은가? 이런 고립의 상황을 원하는 사람은 거의 없을 것이다. 로버트 클린턴 박사는 이와 같은 체험들을 사용하여 하나님께서는 지도자들로 하여금 인격의 깊이를 더해 가신다고 말하고 있다. 이것은 모든 그리스도인들에게 동일하게 적용된다.

지도자의 성품이나 인격들이 사역에 자연스럽게 스며들면서 존재로부터 사역이 흘러나옴을 깊이 인식하는 단계가 성숙의 단계이다. 존재는 결국 하나님과의 교통이 기초된 삶에서 만들어진다. 로버트 클린턴은 이점에 대해서 하나님과의 교통이 사역의 성공보다 더 중요하다는 점을 강조하였다(로버트 클린턴 2011a:80).

하나님께서는 지도자의 생애를 통해서 사역의 기술 개발과 동시에 인격을 품위 있게 다듬어 가신다. 하나님은 이 인격 형성을 위한 과정을 중단하시지 않는다. 당신의 삶과 사역 전체를 통해서 지속적으로 인격을 다듬어 가신다. 왜냐하면 당신은 우주를 창조하시고 다스리시는 왕 중의 왕이신 하나님의 자녀이기 때문이다. 하나님은 당신을 결코 포기하지 않으신다. 하나님은 당신이 작은 일에도 성실한 사람이기를 원하신다. 누가복음 16장 10절에서 예수님은 "가장 적은 것에 신실한 자는 또한 많은 것에 신실하고 가장 적은 것에 불의한 자는 또한 많은 것에 불의하니라" 고 하시면서 성실성과 진실성에 대해서 강조하셨다. 로버트 클린턴 박사는 지도력의 핵심이자 기초가 바로 진실성과 성실성이라고 말한다(로버트 클린턴 2011a:232).

선교사로 20년간 사역하는 동안, 선교사들 안에 사역이 우선이 되어 자신의 왕국을 만들어 가는 일들을 보게 되었다. 어떤 분들은 선교사역을 팀으로 함께 하다가 사역 때문에 갈등이 생겨서 마음의 상처가 치유되지 못한 채로 살아가고 있는 경우도 있다. 성품에 기반한 사역 보다 일 중심으로 사역을 하다 보면 사역이 하나님과의 깊은 교재 보다 앞서게 되어 리더십이 부정적으로 행사되어 공동체를 어려움에 빠지게 하는 일들은 선교지에서 자주 나타나는 현상이다. 이 문제는 세계 모든 교회의 사역 현장에서 목회자 간에 혹은 성도들 간에 나타날 수 있는 문제이기도 하다. 물론 일반 회사 조직 안에서도 비슷한 일들이 일어날 것이라고 본다. 성품에서 사역이 자연스럽게 흘러나온다는 로버트 클린턴의 말은 그리스도인 모두에게 적용되어야 할 강조점이다.

생의 성숙 단계에서 중요한 교훈은 다음과 같다. 성숙한 사역은 성숙한 인격에서 흘러나온다. 성숙한 인격은 어려운 과정을 통해서 온다. 많은 지도자들이 또는 그리스도인들이 어려운 과정을 통과하면서도 그 유익을 깨닫지 못한다. 영적 권위는 목표가 아니라 부수적인 산물이다.

### 고립

지도자는 예기치 않은 상황들, 즉 질병, 위기, 갈등이 포함된 상황에 직면하게 된다. 영성개발 과정에서 지도자가 이런 고립의 상황에 처해 있는 것은 하나님께서 지도자의 인성개발을 위해 계획해 놓은 특별한 시간인 것이다. 고립기간은 지도자의 상향 성장 표본으로 인도하는데 곧 과거를 평가하면서 인격의 단계로 이끌어가는 기간이다. 이것은 지도자를 성숙시키는 가장 효과적인 방법으로서, 지도자는 생애 중에 여러 번 사역에서 벗어나는 경험을 하게 되며, 그 원인은 위기, 징계, 섭리적인 환경, 질병 또는 자신의 선택 등이다.

그러나 이 고립의 기간은 하나님을 기억하는 기간이 되며, 하나님과의 더 깊은 관계를 갖고 체험하는 계기가 된다. 셸리 트레비쉬는 로버트 클린턴이 서문을 써준 그의 책 '고립의 축복'에서 고립에는 4가지 과정이 있다고 보았다. 즉, 발가벗기기 단계, 하나님과의 씨름 단계, 하나님과의 친밀함의 증진단계, 미래를 바라보는 단계이다(셸리 트레비쉬 2011:99). 그리고 고립의 과정을 통해 지도자들의 정체성을 변화시키고, 패러다임의 변화를 가져오며 지도자들 과의 관계를 깊게 하는 결과를 가져온다고 보았다(2011:103). 그리고 고립의 3가지 열매로 내적변화, 영적변화, 사역적 변화가 있다고 주장하였다.

마지막으로 고립 중에 자기 발전을 강화 시키는 방법 6가지를 제시 하였는데 그것은 다음과 같다.

1. 하나님께서 사람을 감정적인 존재로 지으셨으므로 자신의 감정을 솔직하게 표현하라. 그 감정을 일기에 쓰거나 친구 또는 배우자와 나누라. 하나님께 아뢰라.

2. 지난 사역과 하나님을 기억하라. 즉 사역 중에 가장 뛰어났던 부분은 무엇이었는지? 언제 사역을 가장 즐겼는지? 사역에서 가장 자유 함을 누린 때는 언제였는지? 갈등을 대하는 태도가 어떠했는지? 지금도 당혹스럽게 하는 갈등이 있는지? 사역에서 고통스러웠던 것은 무엇이었는지? 타고난 재능, 습득한 기술, 성령의 은사를 포함한 은사가 무엇인지?

3. 하나님께서 고립에서 반드시 건져 내 주시고 더 큰 은혜와 축복으로 이끌어 주실 것에 대해서 희망을 가지라.

4. 당신에게 전망을 주고, 함께 동감해 주고, 어려운 시기를 이겨낼 수 있도록 도움을 줄 수 있는 멘토를 모셔라.

5. 하나님의 음성에 귀를 기울이라.

6. 고립을 포용하라.

하나님께서 주권적으로 고립에서 옮겨 주실 때까지는 거기 머물기로 결단한다. 고립 중에 하나님과의 깊은 관계를 맺기로 결단한다. 하나님께서 고립을 사용하여 지도자의 성품을 변화시킨다는 것을 알고, 당신의 사역 동기와 건강한 사역에 장애가 될 수 있는 장애물이 있는지 정직하게 살펴보라"(2011:121-142). 셀리 트레비쉬의 고립에 대한 이해는 로버트 클린턴의 고립에 대한 이해와 맥락이 같다 하겠다. 클린턴은 이 고립과정에 대해서 긍정적인 관점에서 말하고 있는데, 즉 고립과정은 사역의 연장선에서, 상당히 긴 시간 동안 일반적인 사역에서 분리되어 하나님과 새로운 관계를 체험하는 시기로 정의하며, 일상 사역 중에서는 가르칠 수 없는 중요한 교훈을 가르치기 위해 사용하시는 하나님의 방법이라고 한다(로버트 클린턴 2011a:241). 하나님은 당신이 직면하는 모든 상황을 사용하여 결국 당신을 하나님의 사람으로 만들어 가신다.

### 갈등

갈등 과정은 그것이 무엇 때문이든지 하나님께서 지도자의 믿음을 발전시키고, 하나님만을 의뢰하게 하며, 인간관계나 사역자의 관계에서 분별력을 얻게 하는 계기가 된다. 하나님께서는 갈등을 사용하여 지도자의 성품을 다듬어 주신다. 이 과정에서의 강조점은 갈등에 대한 분별력을 배우는 것보다 잘 조화된 인격을 발전시키는 것이 하나님의 의도이다. 갈등은 비록 부정적인 의미가 따르는 말이지만, 창조적이며 긍정적인 면도 있는데 대부분의 지도자들이 긍정적인 면을 향유하지 못한다(2011a:243-244). 이처럼 갈등은 하나님께서 지도자를 자극시켜 지난 일을 반성하고 상향 발전할 수 있도록 사용하시는 방편이라는 것이다.

### 위기

위기 과정이란 여러 상황으로 인하여 증가되는 압력을 받는 때로서, 생명이나 재산이나 생의 수단이 위협받을 때, 여러 종류의 갈등에 휩싸여 있을 때, 긴급한 변화가 모색되어야 할 때, 내적인 혼란, 질병, 하나님의 성품이 강하게 기대되는 상황, 하나님의 인도나 특별한 간섭이 절박하게 필요할 때, 핍박 등이 이 범주에 들어간다. 그러나 이런 인간적인 상황들은 하나님께서 지도자를 시험하고 하나님만 의뢰하도록 가르치는 기회로 사용하신다. 필자가 선교사로 20년 사역하는 동안 죽음의 위기를 여러 번 겪었다. 중앙 선을 넘어온 대형 트럭에 치여 죽을 뻔한 일과 국경지역에서 강도를 만나 어딘가로 끌려 가다가 동료 선교사님과 함께 극적으로 탈출한 적이 있었다. 그 장소는 인적이 드문 곳이라 택시가 오지 않는 곳인데 무조건 뛰기 시작했는데 마침 극적으로 그곳을 지나가던 택시 한 대가 우릴 보게 되었고 우리는 그 택시를 타고 그 위험한 지역을 탈출할 수 있었다. 매 순간 하나님의 은혜와 도움의 손길에 의지하며 위기과정들을 지나왔다. 이 위기과정에는 재정적인 부분과 가족의 건강상의 위기도 포함되어 있었다. 좌절의 순간 그 끝에서 하나님은 언제나 도움의 손길을 내밀어 주셨다.

위기는 지도자로 하여금 가장 어려운 시기, 삶의 중요한 경험에서 하나님께서 완전하게 예비해 놓은 해결책으로 모든 것을 채우신다는 것을 가르치신다(2011a:218). 이 과정에서 중요한 점은 지도자가 위기 속에서 하나님의 교훈을 배울 수 있어야 한다는 것이다. 이 과정에서 교훈을 잘 배운다면 훗날 삶의 수렴단계에 갔을 때 진가를 발휘하게 된다.

### 일생 동안 지속되는 훈련

하나님의 인도하심은 지도자의 성숙함양을 위해서 전 생애에 걸쳐 나타난다. 존 스토트는 그의 책 '제자도'에서 신자들이 '그리스도 안에' 있다는 것은 인격적으로, 생명으로, 유기적으로 그분과 연결되어 있다는 뜻인데 이런 의미에서 성숙이란, 그리스도를 예배하고 신뢰하고 사랑하고 순종함으로 그분과 성숙한 관계를 맺는 것이라고 말했다(존 스토트

2011:52). 필자는 일생 동안 지속되는 훈련을 통해 지도자는 계속 성숙을 향해 전진할 수 있다고 본다. 어느 한 단계에 제한될 수 없다. 하나님의 인도하심은 지도자의 생애 전체를 통해서 일어나기 때문이다.

### 인도 과정

인도함을 받는 과정은 지도자의 삶에서 지속적으로 요청되는 일이다(로버트 클린턴 2011a:193). 그리스도인들이 혹은 지도자들이 야망에 눈이 어두우면 하나님의 인도하심을 분별하지 못하게 된다. 하나님께서 진정으로 원하시는 뜻이 무엇인지를 분별하는 것은 지도자에게 매우 중요하다. 왜냐하면 지도자의 잘못된 분별과 결정이 엄청난 결과를 초래하기 때문이다. 바른 인도를 위해서 바른 분별력이 요청된다.

지도자란 하나님께서 주시 역량과 하나님께서 주신 의무를 다함으로써 추종자들로 하여금 그 집단을 향한 하나님의 목적을 이루도록 하나님께서 의도하시는 방향으로 영향력을 행사하는 사람이다. 이를 위해서 지도자는 먼저 개인적으로 그 자신의 삶을 인도하시는 하나님을 배워야한다. 삶의 중대한 여러 결정들에 앞서서 하나님의 뜻을 분별하는 법을 배워야 한다. 이것은 지도하는 집단을 바르게 인도하는 지침을 만들어 준다. 주님과 개인적인 영적 교제와 하나님의 말씀은 주님의 음성을 듣는 방법이기도 하다. 지속적인 순종과 주님과의 일상적인 동행을 통해서 하나님의 인도하심을 경험하게 된다. 인도하심의 일곱 가지 과정은 다음과 같다.

### 1) 섭리적 만남

하나님께서는 지도자의 잠재력을 확인하고 가능성을 키워 주기 위해, 특별한 쟁점에 대해 지침이나 통찰력을 주기 위해서, 그리고 하나님의 뜻하시는 방향으로 지도자를 이끌거나 사역 기회를 새로 열어주기 위해서 중요한 시기에 어떤 의미 있는 인물을 만나게 하시는데 이것을 섭리적 만남이라고 클린턴은 말한다(로버트 클린턴 2011a: 197).

사도행전 9장 27절에서 바울이 예루살렘 지도자들과 만나는 것이 어렵던 시기에 바나바를 만난 것이 섭리적 만남이다. 사도행전 10장에서 베드로와 고넬료의 만남도 섭리적인 만남이다. 고넬료는 그의 가족과 더불어 베드로를 통해 구원의 말씀을 듣게 되었다. 창세기 37장에서 요셉을 미워한 형들은 요셉을 미디안 족속 상인들에게 팔아 넘겼다. 그리고 미디안 족속 상인들은 요셉을 이집트의 호위대장 보디발에게 팔았다. 요셉과 이집트 호위대장 보디발의 만남도 섭리적 만남이라고 볼 수 있다. 그리고 요셉은 호위대장 보디발의 아내의 유혹을 뿌리치는 과정에서 누명을 쓰고 감옥에 갇히게 되었는데 그 곳에서 술관원장을 만난다. 그 술관원장과의 만남도 섭리적인 만남이었다. 술관원장은 요셉의 꿈 해몽대로 다시 복직하게 되어 이집트의 왕 앞에 나가게 되었고 결국 술관원장의 소개로 요셉은 이집트의 왕을 만나 하나님의 도우심으로 왕의 꿈 해몽을 하게 되었다. 이를 계기로 요셉은 이집트의 총리가 되었다. 큰 기근이 닥쳤을 때 요셉은 그의 아버지 야곱과 그의 형제와 가족들을 구하게 된다.

당신의 삶에도 이런 섭리적인 만남의 경험이 있을 것이다. 섭리적 만남은 중요한 시기에 재현되기도 하며 그 관계가 상호적이어서 서로에게 도움을 주기도 한다.

## 2) 멘토(Mentor)

토니 호스폴은 그의 책 '영적 멘토링'에서 멘토링은 다른 사람의 삶에서 하나님의 사역을 증진시키는 것으로 정의하면서 멘토링은 삶의 방향과 목적에 대한 더 큰 그림을 보여주며, 영혼의 성장에 관심을 가지고 개인이 하나님과의 관계에 총체적으로 관여하도록 격려하는 것이다. 그리고 개인이 하나님을 깊이 경험하도록 돕고 잠재력을 발견하여 그것이 잘 발휘되도록 도전한다고 보았다(토니 호스폴 2016:30).

로버트 클린턴은 멘토링에 대해서 조금 더 구체적인 개념을 말하고 있다. 로버트 클린턴에게 있어서 멘토링은 한 사람이 다른 사람에게 하나님이 주신 자원을 나누어 줌으로써 능력을 부여하는 관계적 경험을 말한다. 멘토란 시기 적절한 조언, 적시에 필요한 안목을 제공하는 편지, 책, 혹은 정보와 다양한 자료, 재정적 지원, 멘토를 능가하여 더 성장할 수 있는 기회와 자유를 허락해 주는 개방성 등 실제적인 도움을 제공하는 사람이다. 멘토는 때로는 젊은 리더들을 돕기 위해 자신의 명성에 손해와 위험을 감수하기도 한다. 리더십의 여러 역할에 대해 본을 보여주면서 닮도록 도전한다. 리더들이 계속 성장할 수 있도록 필요한 자원을 연결해 준다. 리더들의 자신감, 지위, 신뢰성을 높여주기 위해 그들과 함께 공동사역을 한다(J. 로버트 클린턴& 리처드 W. 클린턴 2013:57).

즉 멘토링 과정이란 한 사람이 잠재적 지도자를 돕는 과정들과 그 결과들을 말하는데, 이것은 섭리적 만남의 특별한 경우이다. 하나님은 잠재적인 지도력을 가진 사람을 보고 개발하는 일을 돕고 싶어 하는 마음과 능력을 가진 사람을 만나게 섭리하신다(로버트 클린턴 2011a:199). 잠재적 지도자가 사역초기에 좋은 멘토를 만난다는 것은 참으로 축복이라고 말 할 수 있는데 그것은 잠재적 지도자의 발전 속도를 빠르게 해주며, 일생 동안 따를 수 있는 모범을 만들어 주기 때문이다. 멘토를 통한 하나님의 인도는 삶을 바꾸어 놓기도 한다. 인생 가운데 좋은 멘토를 만나는 것이 복이다.

### 3) 중복확인

중복확인 과정이란 하나님께서 하나님의 뜻을 한 가지 이상의 방법으로 확인시켜 주시는 특수한 인도를 말한다(로버트 클린턴 2011a:202). 중복확인이 하나님께서 자주 사용하시는 방법은 아니라고 할 수 있지만, 매우 중요한 결정에 직면한 지도자라면 중복확인을 달라고 하나님께 간구할 수 있을 것이다. 이러한 중복확인이 진행되는 시기는 다음과 같다. 지도자가 사역방향을 결정하는데 있어서 하나님으로부터 분명한 말씀을 꼭 필요로 하는 중요한 시기에 와 있을 때, 하나님께서는 지도자에게 직접 또는 간접적으로 방향을 제시하실 때 그리고 하나님께서 지시한 방향에 대하여 다른 사람을 통하여 확인해 주실 때이다. 결론적으로 중복확인은 지도자의 중대한 결정에 대한 하나님의 보장과 지도자의 영적 권위를 뒷받침해 준다(2011a:203-204).

### 4) 부정적 상황을 통한 성장

다른 떡이 더 크게 보이고 좋아 보이게 되는 때가 있다. 이런 일들이 다음 단계를 향해 나가는 계기가 되기도 한다. 이 과정은 하나님께서 사용하는 부정적인 사건, 사람, 갈등, 핍박, 경험들로써 현재의 상황에서 벗어나 새로운 흥미를 가지고 다음단계로 넘어가게 하는 요소를 말한다.

지도자들이 이런 부정적인 과정이 없으면 그냥 그 자리에 안주할 수 있다. 자기 개발이나 발전을 향한 진보나 사역의 지경을 넓이는 열정 이 없어서 다음 단계로 움직이지 않게 된다(로버트 클린턴 2011a:206). 하나님은 지도자를 성장시키기 위해 때론 부정적인 사건들도 사용하신다는 것이다. 부정적 상황을 통한 성장 과정들은 결혼 관계나 자녀들 과의 어려움, 직업이나 사역에서의 위기, 다른 크리스천 동역자와의 갈등, 생활 환경의 어려움, 기후나 지리적 조건으로 인한 어려움, 고립의 상황, 일의 능력 범위를 넘어서는 지나친 제재 등 여러 사건을 통해서 나타난다.

### 5) 육신적 행동

육신적 행동이란 지도자가 생활 중에 어떤 지침을 따라 결정을 내려야 할 경우에 하나님께서 선택하신 방법에 대해서 바로 분별하지 못하고 서둘러서 실행하는 경우를 말한다. 이런 결정은 대개 인위적인 조작이 개입되며 결국 사역과 삶에 부정적인 영향을 미치게 된다. 우리가 자신의 행동에 대해서 분별력을 갖고 있지 않으면 육신적인 행동이 될 수 있다. 행동하기 이전에 자신의 말과 동기를 살펴야 한다. 결정이전에 행동하기 전에 하나님께 묻는 습관을 몸에 지녀야 한다.

아브라함이 하나님의 약속을 기다리지 못하고 사라의 몸종 하갈을 통해 이스마엘을 낳은 사건(창 16장), 여호수아가 진멸해야 할 족속인 기브온 거민과 화친 조약을 맺은 결정(수 9장), 사울 왕이 불법으로 번제 희생물을 드린 사건(사무엘상 13장) 등 이 다 육신적인 행동이었다. 이런 육신적인 행동이 치명적인 결과를 초래하기도 한다. 그러나 클린턴은 지도자의 육신적 행동이라는 과정이 항상 부정적인 것만은 아니라고 평가하

면서 오히려 하나님의 인도하심을 기억나게 해서 분별력을 강화 시켜 주
는 과정이기도 하다고 말한다(로버트 클린턴 2011a:210).

쓴 맛을 경험하면서(뼈 아픈 경험) 바른 선택을 할 수 있도록 지혜
가 생긴다. 즉 뼈 아픈 경험을 통해서 얻은 삶의 지혜인 것이다. 결국 하
나님은 나의 실패도 사용하시어 바른 지혜를 가지고 살아 갈 수 있게 섭
리하신다. 중요한 것은 지도자가 스스로의 잘못을 인식해야 하며 이것을
교훈삼아 하나님의 뜻에 합하는 바른 선택과 바른 행동을 실천해야 한다
는 것이다.

### 6) 하나님의 확증

하나님의 확증은 지도자가 다시 한번 인정받는 특별한 체험이다. 지
도자는 사역을 하는 동안에 자신의 사역이 가치 있는 일이며, 자신의 생애
가 하나님 앞에 소중한 것이라는 하나님으로부터의 확신이 필요할 때가
있다. 이러한 내적 확인은 지도자의 삶에 새로운 동기부여와 함께 새 힘과
용기를 불어넣어준다. 이것은 지도자의 영적 권위와 밀접하게 연관이 되
어있기 때문에 때로는 외부사람이 추종자들에게 지도자가 영적 권위가
있음을 확증을 해 주는 경우도 있다(2011a:212).

### 7) 기타 과정

다른 사람의 생애에 나타난 교훈을 자신의 삶을 위한 지침으로 만드
는 과정인 간접경험은 '간접 학습' 이라고도 부르는데 간접경험 과정의 목
적은 독서를 통해 삶과 사역에 적용할 하나님의 교훈을 습득하는데 있다.
영향력 있는 지도자들은 대부분 광범위한 독서를 하는 사람이며, 글에서

삶에 필요한 교훈들을 뽑아낼 줄 아는 역량을 갖추고 있다(2011a:215). 이러한 독서를 통한 간접경험은 모든 발전 단계에도 추가될 수 있는 과정이라고 할 수 있다.

말씀 과정이란 지도자가 자신의 사역지침, 헌신, 결단, 개인의 가치체계, 영성 형성, 영적 권위 또는 사역철학 수립 등의 토대가 될 말씀을 받는 것을 말한다. 이것은 지도자의 특성이기 하다. 이와 같이 말씀과정은 인도함의 모든 단계에 나타난다. 예를 들어 인성개발 단계에 나타나는 말씀과정은 말씀검증으로 성품을 형성하거나 시험하는 것으로 나타난다. 사역단계에서의 말씀과정은 영적 권위를 형성하고, 영적 성숙을 도모하며 결정을 내리는데 영향을 주며, 또 사역 철학 수립에도 영향을 준다. 이처럼 지도자는 전 생애를 통해서 말씀과정을 갖게 된다. 반대로 정체된 지도자에게는 말씀과정이 거의 나타나지 않는다(2011a:216-217).

위기 과정은 생애에서 특별히 강한 압박을 느끼는 상황으로서 하나님만을 의지하도록 가르치고 시험하는 과정이다. 위기는 또한 지도자로 하여금 가장 어려운 시기, 삶의 중요한 상황에서 하나님께서 완전하게 예비해 놓은 해결책으로 모든 것을 채워 주신다는 사실을 가르친다.

사도 바울은 고린도 후서 11장 21-29절에서 매 맞음, 거의 죽은 것을 방치된 일, 파선, 홍수, 도적으로부터의 피습을 언급하면서 그가 경험한 위기의 상황을 말해준다. 그러나 사도 바울은 그가 경험한 위기의 과정에서 그가 경험한 유익에 대해서 고린도 후서 1장 3-4절에서 고백한다. "찬송하리로다 그는 우리 주 예수 그리스도의 하나님이시요 자비의 아버지시요 모든 위로의 하나님이시며 우리의 모든 환난 중에서 우리를 위로하사 우리로 하여금 하나님께 받는 위로로써 모든 환난 중에 있는 자들을 능히 위로하게 하시는 이시로다"

갈등 과정이란, 지도자의 모든 삶의 갈등 상황에서 그것이 인간 관계이거나 사역과의 관계이거나 상관없이 갈등을 사용하여 하나님만을 의지하고 의뢰하는 믿음을 갖게 하고, 지도자 개인의 삶과 사역에 깊은 통찰력을 발전시키는 모든 경우를 말한다. 갈등 과정은 다른 과정과 복합적으로 나타나며, 훈련의 촉진제 역할을 해 준다. 갈등 과정과 복합적으로 나타나는 과정은 주로 사역기술 진전 과정, 사역도전, 믿음도전, 권위분별, 지도력에 대한 반발, 고립화, 인도 과정 등이다. 여기서 얻는 교훈은 갈등의 해결책과 회피책, 갈등의 창조적인 사용법, 갈등에 대한 분별력, 다른 과정을 위한 촉진제로서의 갈등을 보는 안목 등을 배울 수 있다(2011a:220). 중요한 것은 갈등에 대해 배운 통찰력과 함께 그 갈등 상황에서 하나님께서 뜻하시는 바를 파악하는 방법에 대해 배우는 것이다.

## 사역 철학의 중요성

"지도자는 성경적 지도력의 가치를 존중하고 그가 사는 시대의 도전을 수용하며, 그들의 특수한 은사에 적합하고 전 생애를 통하여 생산적인 지도자로서의 기대를 충족시킬 수 있는 사역 철학을 발전시켜야 한다." (로버트 클린턴 2011a:270).

사역 철학은 지도자 개발의 결과로 나타난다. 아이디어, 가치관을 내포하고 있다. 그리고 지도자가 결정을 내릴 때 영향력을 행사한다. 그리고 사역을 평가하는데 안내 지침이 된다.

효과적인 지도자들은 배우려는 태도를 갖고 있다. 그들은 모든 자료, 성경, 자신의 특수성에서 배운다. 상황에 따라 여러 기술들을 습득한다. 그리고 영적인 은사를 사용하는 방법을 배운다. 생산적이고 효과적인 지도자들은 성경적 역동성, 개인적인 은사, 상황에 대한 적응력 등 이러한 요소들을 내포하고 있는 사역 철학을 갖고 있다. 사역 철학에 있어서 중요한 것은 성경이다. 성경은 지도력의 구심점이 되기 때문이다. 또한 성경은 크리스천 지도자를 평가하는 유일한 기준이다. 그래서 지도자들은 성경에서 말하는 가치 기준, 방법, 동기, 목표를 리더십의 기초로 삼아야 한다. 사역 철학은 활력이 있다. 이 안에 역동적인 요소들이 있기 때문이다. 이 역동적인 요소들은 지도자가 개인적으로 말씀 안에서 성장하고 지도력이 자라나며, 지속적으로 자신의 은사를 발견하는 변화를 가져오게 한다. 지도자는 자신의 삶의 과정에서 깨달은 것으로 사역 철학을 발전시키고 그것을 사역에 활용해야 한다.

다시한번 정리하면, 지도자는 성경적 지도력의 가치를 존중하고 그가 사는 시대의 도전을 수용하며, 그들의 특수한 은사에 적합하고 전 생애를 통하여 생산적인 지도자로서의 기대를 충족시킬 수 있는 사역 철학을 발전시켜야 한다.

로버트 클린턴은 그의 책 <영적 지도자 만들기> 제8장 '뚜렷한 철학을 가진 지도자' 부분에서 존슨 목사와 워렌 위어스비가 만든 사역 철학을 소개하였다.

### 존슨 목사의 사역철학:
1. 성령님이 교회의 행정관이다.
2. 하나님의 초자연적인 능력은 진지한 크리스천들의 육신적 연합보다 더 많은 목표를 달성한다.

3. 상호 관계가 필수적이다. 하나님과의 관계가 가장 중요하 목표이다. 다른 사람과의 상호 관계는 친밀감을 주고 성령께서 우리를 이끄시는 데 우리의 책임을 수행하는 일이다.

4. 모든 크리스천은 주님의 몸의 특별한 지체이며 모두가 그 자체로 중요하다. 어떤 사람은 좀더 사람에게 드러나는 직분을 갖지만 그렇다고 그것이 다른 직분보다 더 중요한 것은 아니다. 하나님께서는 교회를 키우고 필요한 곳에 사람을 배치하신다.

5. 사람들은 먼저 자기 자신으로부터 자유로워야 한다. 각자는 그가 있는 곳에서부터 사랑받을 필요가 있다.

6. 실패할 여지가 있다는 것을 알라. 실패가 없는 곳에는 성장이 없다. 모험을 과감히 수행하려는 태도가 필요하다.

7. 우리는 지상 명령을 심각하게 받아들인다(마28:19-20). 우리는 온 천하에 하나님 나라의 복음을 전하도록 보냄 받은 사람들이다.

8. 우리는 이처럼 체험적인 데에 중점을 두는 교회이기 때문에, 우리의 사역이 말씀에 근거하도록 지속적인 노력이 있어야 한다.


**워렌 위어스비의 사역 철학:**

"원리가 성패를 좌우한다." "방법은 다양하지만 원리는 적고, 방법은 항상 유동적이지만 원리는 결코 변하지 않는다." 그는 절대적인 원리에 근거해 사역을 발전시켰다. 즉 그는 사역을 위한 절대적인 원리들을 파악하고 있었다. 그가 강조하는 열 가지 원칙은 다음과 같다.

1. 인격(성품): 하나님께서 기본적으로 지도자의 인격을 발전시킨다. 왜냐하면 효과적인 사역은 인격에서 나오기 때문이다.

2. 사역: 사역의 본질은 섬김이다. 먼저는 주님이요, 다음은 우리가 인도하는 사람들에 대한 섬김이다.

3. 동기: 사역은 근본적으로 섬김을 받는 사람을 사랑하는 것이 동기가 되어야 하며, 어떤 이익이나 의무나 은사 때문에 하는 것이 아니다.

4. 희생: 효과적인 사역에는 반드시 희생이 요구된다.

5. 권위와 순복: 지도자는 먼저 권위에 순복 하는 법을 배워야 한다. 그것은 권위를 바르게 행사하는 데 필수적 단계이다.

6. 궁극적인 목적: 지도자의 생애와 사역에서 오직 하나님만 영광을 받아야 한다.

7. 역동적 평형: 지도자는 지속적으로 성장해야 하며, 기본적인 도구인 말씀과 기도를 효과적으로 사용해야 한다.

8. 성실성과 역량: 성실성은 사역을 위한 역량을 증가시킨다.

9. 성령의 충만: 사역자는 성령의 능력으로 충만해 있어야 한다.

10. 표본 제시 원리: 예수님만 사역에서 절대 최고의 표본이시다.


### 5단계: 수렴과정

수렴단계에서는 하나님께서 지도자들에게 맞는 은사의 옷을 입고 은사에 맞는 일을 하도록 인도하여 그 사역을 극대화하는 단계이다. (로버트 클린턴 2011a:58). 이 시기에 자신의 은사에 적합하지 않은 사역은 하지 않아도 된다. 이 시기에는 인격에 있어서 성숙함이 있고 또 사역에 있어서도 성장이 나타나는 절정의 시기이기도 하다. 그러나 인격 개발이 안되 있거나 그 지도자가 소속된 단체에서 역량을 발휘하지 못하는 구조나 시스템 때문에 많은 지도자들이 이 단계에 도달하지 못할 수도 있다는 점이 안타까운 현실이다. 어떤 사람은 유능한 잠재력을 갖고 있는데 기회가 주어지지 않아 그 역량을 발휘 못하는 경우가 많다. 지도자 한 사람만 바뀌어도 공동체가 살아나기도 하고 쇠락하기도 한다. 그래서 로버트 클린턴은 수렴단계에 필요한 것은 자신의 역량을 최대한 발휘할 수 있는 ''직책과 역할' 이라고 말하면서 생애 속에서 역사하시는 하나님에 대해 바르고 지속적인 자세를 유지할 것에 대해서 강조하였다(2011a:81).

지도자는 다양한 사역을 경험을 하면서 자신이 유종의 미를 위해서 어떻게 살아가야 하는지에 대해서 생각하게 된다. 로버트 클린턴은 그의 공동 저서인 '인생 개발의 주기에 따른 리더십 개발' 이라는 책에서 레이 목사의 말을 빌려 **선종(유종의 미)을 가로막는 장애물**에 대해 언급하였다. 즉 재정, 권력, 교만, 성, 가정, 정체기, 감정 및 심리적 상처 등이 지도자의 성장을 방해하는 장애물이라고 보았다. 대부분의 지도자에 위치에 있는 사람은 이 부분에 크게 동감할 수 있다고 본다.

반면에 **유종의 미를 거두는 삶의 6가지 특징**에 대해서도 언급했는데, 6가지 특징은 다음과 같다.

1. 끝까지 하나님과의 개인적 생생한 관계를 유지한다.
2. 배우는 자세를 유지하고 삶에서 다양한 종류의 자료를 통해서 배운다.
3. 성령의 열매의 증거로 그리스도를 닮은 성품을 나타낸다.
4. 삶에서 진리대로 살아가고 하나님의 약속을 확신하고 그것이 실현되는 것을 본다.

5. 적어도 하나 또는 그 이상의 궁극적인 공헌을 남긴다.

6. 사명의식을 확신하면서 성취되는 것을 보며 살아간다.

그러면 **선종의 삶을 위해 도움이 되는 것**은 무엇일까?

이 부분에 대해서 다음과 같이 클린턴은 말한다.

1. 현재의 사역을 평가하고 평생사역에 넓은 안목을 갖는다.

2. 영적 갱신을 기대한다.

3. 영적 훈련을 받는다.

4. 배우는 자세를 유지한다.

5. 멘토들을 갖는다. 유종의 미(인생의 끝 맺음을 잘 하는)를 거두는 리더들 주변에는 10-15명의 멘토들이 있었다는 점을 강조한다(J. 로버트 클린턴 & 리처드 W 클린턴 2016:24-26).

지도자의 좋은 끝맺음, 이것은 클린턴 리더십 이론에서 가장 중요한 부분이다. 자신이 가진 은사를 바탕으로 인생의 남은 시간을 집중하는 것이 수렴단계이다.

또한 지도자라면 하나님을 통해 얻어진 경험에서 나온 사역 철학을 가지고 있다(2011a:265). 분명한 사역 철학을 갖고 살아가는 것과 철학이 없이 살아가는 사람과는 큰 차이가 있다. 사역철학을 가지고 사는 사람들은 자신이 하는 일에 대해서 가치를 깨닫게 된다. 하지만 사역철학을 가지지 않은 사람은 살아가다가 어려움이 오면 쉽게 포기하게 된다. 하찮은 일을 하면서도 가치를 느끼는 것은 매우 다른 결과를 가져오게 한다. 예를 들어, 필자는 신학교 재학시절에 성경전체를 관통하는 성경 파노라마를 손동작을 통해 배운 적이 있다. 다 배우고 외우고 나니 너무 좋은 사역 도구가 되었다. 그러나 졸업 후에는 다 잊어버렸다. 필자가 그 때 얻은 교훈은 배운 것은 계속 사용해야 한다는 것이다. 또한 청소년 시기부터 기도의 습관을 갖게 되었다. 필자는 가장 어려운 시절 기도를 통해 위로 받았고, 소망을 얻었고 또 다양한 은혜와 기적을 경험했다. 그래서 얻게 된 교훈이 "역경과 어려움을 만나면 기도하라, 오직 하나님께 만 구하라 그리고 즐거우면 찬송하라" 였다. 인생 경험에서 축적된 지혜를 삶과 사역에 적용해 나갈 때 흔들림 없이 주님과 함께 걸어 갈 수 있다고 클린턴은 말한다.

## 6단계: 회상의 단계

회상단계는 전체 생애를 통해 사역의 열매와 성장이 함께 어우러져 인정을 받는 단계이다. 또한 광범위한 영역에서 간접적인 영향력이 발휘되는 시기 이기도 하다. 지도자들이 맺어온 많은 관계들을 통해서 영향력이 발휘되면 사람들은 그들의 아름다운 발자취를 따르고 싶어 한다. 지도자들에게 갖고 있는 경험을 통해 쌓인 지혜는 많은 사람들에게 유익을 준다. 로버트 클린턴은 이 단계에서 주의해야 할 과제는 없다고 말하면서, 지도자는 일생 동안 발전을 도우신 하나님의 신실하심을 찬양하고 영광 돌려야 한다고 말한다(로버트 클린턴 2011a:82).

로버트 클린턴의 리더십에 대해서 살펴봤다. 로버트 클린턴은 '지도자 평생 개발론에서' 지도자 개발 이론의 핵심을 말했는데, 즉 하나님께서는 생의 전반을 통하여 다양한 방법을 통해 지도자의 삶에 개입하셔서 지도자들을 일으키시고 개발하신다는 것이고, 리더십 발전은 지도자의 반응에 따라 이루어진다는 것이다. 인생의 시작도 과정도 중요하지만 무엇보다 중요한 것은 잘 마무리하는 것이다. 인생의 끝에서 유종의 미를 거두는 자가 진정한 성공자이기 때문이다. 그러기 위해서는 우리 삶을 날마다 말씀으로 가꾸고 돌보아야 한다. 그리고 하나님 나라의 영향력을 발휘하는 리더십을 개발해야 한다. 이것은 평생을 통해 개발해 가야 한다.

"인생의 시작도 과정도 중요하지만
무엇보다 중요한 것은 잘 마무리하는 것이다.
인생의 끝에서 유종의 미를 거두는 자가
진정한 성공자이기 때문이다."

# 리더십 개발 실천하기 4.

## 리더십 개발 실천하기

리더십은 그냥 얻어지는 것이 아니다. 철저한 훈련이 필요하다. 풀러신학교 박기호 교수는 훈련의 필요와 중요성을 강조하였는데, 그는 "예수께서 제자들을 훈련하실 때 함께 생활하며 삶의 현장에서 본을 보이며 훈련(On-the-job traninig)시키셨다는 점을 상기시켰다. 이어서 오늘날 훈련없이 지도자를 세우는 문제점에 대해 언급하였는데, 지도자로 하여금 최선을 다하도록 목회 지도자들을 훈련해야 함을 강조하였다(박기호 2005:239).

리더십 개발은 자신의 전 생애를 통한 학습이라는 개념을 수용함으로써 시작될 수 있는 것이다. 하나님께서는 당신의 삶을 출생부터 마지막까지 인도하고 계신다. 이처럼 리더십 개발은 한 사람의 생의 전 과정에서 계속 진행되고 이루어진다는 사실은 리더십 이론의 중심 골자이다.

리더십 개발의 바른 관점에서 보게 될 때 그리스도인들은 인생의 전체를 바라보면서 자기의 발전 단계를 의식하고, 리더십을 개발해 주시려는 하나님께 바른 반응을 보임으로서, 계속해서 발전하고 성장할 수 있다. 우리는 그동안 세상의 교육을 받고 다양한 선택보다는 상명 하달의 관계 속에서 자기 윗사람의 눈치를 보면서 앵무새처럼 살지는 않았는지? 자신을 객관적으로 평가해 볼 필요가 있다. 하나님께서 나의 삶에 깊이 개입하시며 인생전체를 바라보고 이끌고 계신다는 총체적 지도자 발전 단계를 인식하게 하는 것은 그리스도인들로 하여금 자존감을 높여주고 새로운 소망을 가지게 하는 것이다.

바로 이런 점이 리더십 개발에 있어서, 클린턴 이론이 갖고 있는 유용성이며, 구체적인 리더십 개발을 기대하게 하는 가능성이라고 생각한다.

필자는 앞에서 살펴본 리더십의 이론을 바탕으로 네 가지 방향의 리더십 개발과 실천 방안을 세우게 되었다.

네 가지 리더십 개발과 실천 방안은 아래와 같다.

첫째, 지도자 평생 개발 개념을 적용하여 훈련한다.

둘째, 은사를 개발하여 지도력 개발을 돕는다.

셋째, 유종의 미를 거두는 목표를 이룰 수 있도록 훈련을 통해 도전한다.

넷째, 선교적 삶과 선교적 교회를 향해 도전하고 훈련한다.

네 가지 리더십 개발과 실천 방안을 구체적으로 살펴보기로 한다.

## 지도자 평생 개발 개념을 적용하여 훈련하라

지도자들이 시간선을 따라 자신의 전체를 조망해 보고 평가하면서 현재의 위치를 파악하면서 앞으로 준비하고 훈련하고 개발해야 할 리더십 부분을 살피는 것은 매우 중요하다. 로버트 클린턴은 '지도자 평생 개발론에서' 지도자 개발 이론의 핵심을 말했는데, 하나님께서는 생의 전반을 통하여 다양한 방법을 통해 지도자의 삶에 개입하셔서 지도자들을 일으키시고 개발하신다는 것이다(로버트 클린턴 2011b:37). 지도자 훈련 개발에 있어 가장 중요한 부분이 지도자 평생개발 개념이다. 그리스도인들은 자신의 출생부터 지금까지의 삶 전체를 보고 평가할 수 있어야 한다. 삶과 사역은 열정 하나만 가지고 되는 것이 아니기 때문이다.

필자가 GMTC라는 해외선교사 훈련원에서 25기로 타문화 선교 훈련을 받았을 때, 제일 처음에 배운 것이 지도자 평생 개발 관점을 이해하고 실제로 시간선을 그려 보면서 5년 또는 10년 단위로 삶과 사역에 대한 계획을 세워 보는 것이었다. 그리고 사역현장에 투입되어 9년을 지내다가 미국 풀러신학교에서 다시 시간선을 그려 보게 되었다. 시간선을 보면서 긍정의 시간과 뼈아픈 고통과 시련의 시기가 반복해서 나타났음을 발견하였다. 그러나 부정하고 싶은 시간과 고통스러운 경험 속에서 필자는 주님의 깊은 은혜를 경험할 수 있었고 더욱 하나님만 의지하게 되었음을 다시 한번 상기하면서 하나님은 우리의 삶의 전체를 이끌고 계시다는 사실을 확인하게 되었다. 필자는 큰 용기를 얻게 되었다.

그 중 한가지 사건은 필자는 선교지로 가기 전에 수석 부목사로 섬겼던 교회에서 파송을 받았다. 교회는 전적으로 후원을 약속해 주었다. 그러나 필자를 중국을 보낸 파송 교회는 3년 만에 재정적 어려운 문제가 발생하여 후원을 중단하겠다는 통보를 하였다. 필자는 정말 난감한 상황이었고 깊은 좌절감을 느끼게 되었다. 지금까지 힘들지만 잘 버텨왔고 선교사역에 소중한 열매들이 한 창 맺어질 때였다. 후원 만료(3개월) 시간이 다가오면서 필자는 더욱 마음의 고통과 중압감을 느끼게 되었다. 금식을 선포하고 모처에서 기도를 하던 중에 하나님은 필자의 마음을 보여 주시면서 하나님 보다 후원교회 목사님을 더 의지했던 부분을 깨닫게 해 주셨다. 필자는 회개를 하였고 주님은 마음 깊은 곳에서부터 위로를 해 주셨다. 그리고 새벽에 생생한 꿈을 꾸게 되었다. 꿈에서 필자는 텅 빈 어느 교회 강단 앞에서 무릎 꿇고 앉아 울고 있었다. 그때 저 뒤편에서 누군가 문을 열고 울고 있는 필자에게 걸어오더니 어깨에 손을 대면서 하나님의 메시지를 갖고 왔습니다. "더 이상 두려워하지 말고 걱정하지 말라고 합니다. 오직 하나님 아버지만 바라보라고 합니다. 하나님 아버지가 늘 함께 하고 계심을 잊지 말라고 하십니다. 담대 하라고 하십니다. 용기를 내라고 하십니다." 생생한 꿈을 깨고 필자는 큰 위로와 용기를 얻게 되었다. 교회로부터 통보를 받고 3개월 뒤에 주 파송 관계는 정리되었지만 필자의 마음에 절망은 사라졌다. 그리고 신비한 방법으로 지금까지 하나님은 채우시고 이끌어 오셨다. 물론 지금은 주 파송 관계가 정리된 교회와 다시 연결되어 선교에 있어서 협력 관계가 되었다.

그 후 하나님은 필자가 예기치 못한 방법을 통해서 미국에서 안식년을 보낼 수 있는 기회와 재정을 공급해 주셨다. 필자도 시간선을 통해 삶을 조망해 보게 되면서 삶의 국면 하나 하나가 하나님의 이끄시는 섭리와 은혜였음을 고백하게 된다. 또 앞으로 나갈 방향과 초점을 맞추어야 할 부분을 깨닫게 된다.

시간선에 따른 필자의 경우를 살펴본다면, 정지단계('인생'이라는 땅을 잘 가꾸고 개발하기 위해 땅을 고르게 정리하는 작업 단계)가 1982-1987 라고 본다. 그 이유는 1982년 중학교 2학년 때 예수님을 영접하였고 1987년 대학입학하기 전에 나의 삶 전체를 복음을 전하고 영혼을 돌보는 일에 헌신하기로 결정하였다. 인성개발단계는 1985-1995년으로 보았다. 고등학교 재학부터 대학을 졸업하고 잠시 사회경험을 하는 과정 동안에 말씀훈련, 설교, 책, 다양한 지도자들 과의 만남, 다양한 경험을 통해 주님은 인성을 개발시키셨다. 사역단계는 1995-2011년까지로 보았다. 고아원, 장애인 선교, 교회 전도사, 강도사, 부목사, 선교사역이 포함되어 있다. 성숙단계는 2011-2024년 현재까지로 보았다.

로버트 클린턴이 말하는 시간선 안에는 정지단계, 인성개발 단계, 사역 단계, 성숙 단계가 있다. 이것을 J. 로버트 클린턴와 리처드 W. 클린턴이 그들의 공동 저서 '인생 주기에 따른 리더십 개발'에서 밝힌 리더십 개발 개요의 관점에서 정리해 보면 다음과 같다.

사역의 기초: 이 단계에서는 기본적인 성품이 형성되고 사명에 대한 단초가 제공된다. 영적 형성이 있고 성품개발이 있다. 사명 준비를 하면서 작은 책임에서 큰 책임 있는 일로 이동하기도 한다. 이 단계에서 잠재적 지도자가 긍정적 반응을 하면 사역의 확장으로 이어지지만 부정적으로 반응하며 하나님의 교정의 시간이 따른다. 또 이 단계에서는 초기 영적 은사가 나타나고 기술을 더 습득하게 되면서 리더는 비슷한 은사를 가진 리더들을 끌어 모으기도 한다.

초기 사역: 이 단계에서는 리더십 헌신과 리더십 성품이 형성된다. 실습하면서 배우며, 삶의 목적에 대한 암시가 주어지고 은사가 나타난다. 사역적 형성과 영적 형성이 함께 나타난다. 리더십 헌신, 권위 통찰력, 갈등과 위기, 은사발견, 인도의 과정이 진행된다. 사명 계시가 있고 더욱더 큰 책임 있는 사역으로 이동한다. 지도자가 긍정적으로 반응하면 사역의 확장으로 이어지고 부정적으로 반응하면 교정으로 이어진다. 초기 사역 단계에서는 영적 은사와 은사 세트에 대한 자신감을 확인한다. 리더는 비슷한 은사를 가진 다음세대 리더들을 끌어 모은다.

중기사역: 이 단계에서는 삶의 목적과 은사와 주요 역할이 확정되고 사역의 통찰력에 대한 돌파구가 이루어진다. 갈등과 권위에 대한 이슈가 발생한다. 사역이 효율적으로 이루어진다. 영적, 사역적, 전략적 형성이 이루어진다. 사역의 통찰력, 리더십 반발, 도전, 패러다임의 전환이 되고, 행위 중심에서 존재(됨됨이)중심으로 변환된다. 사명이 계시가 되고, 계속된 성실성으로 잠재력이 최대한 개발된다. 시험은 믿음의 도전으로 움

직여 간다. 후기 영적 은사가 나타난다. 은사를 효과적으로 사용한다. 리더십 선발을 위해 유유상종의 원리가 도움이 된다.

후기사역(12년 이상): 이 단계에서는 이상적인 역할로 움직여 나간다. 효율적인 사역이 효과적인 사역이 된다. 사역이 절정에 이른다. 궁극적 공헌이 분명해진다. 전략적, 영적 형성이 이루어지고, 영적전쟁, 깊은 역경, 능력과정이 진행된다. 효율적 사역에서 효과적인 사역으로 변환되어 간다. 사명 계시 및 사명 성취가 이루어진다. 잠재력이 최대한 발휘된다. 시험은 이제 잠재력의 발휘로 움직여 간다. 매우 성숙한 은사를 사용하게 되고 리더십 개발을 위해 유유상종의 원리를 강력하게 사용한다.

마무리 사역(유종의 미): 이 단계에서는 평생 사역이 통합된다. 궁극적 공헌이 개발된다. 가치관을 다음 세대 리더들에게 전수한다. 영적, 전략적 형성이 이루어진다. 사명의 성취가 있다. 사역이 마무리 사역으로 전환된다. 성실한 삶의 열매를 거둔다(2016:116-117).

하나님께서는 생의 전반을 통하여 다양한 방법을 통해 지도자의 삶에 개입하셔서 지도자들을 일으키시고 개발하신다. 그래서 지도자는 평생의 관점에서 스스로를 훈련에 노출시켜야 한다. 끝까지 겸손하게 배움의 자세를 갖는 것은 매우 바람직하다.

## 은사를 개발하여 지도력 개발을 도우라

그리스도인들은 왜 자신들이 은사 개발에 대한 자각을 해야 하고 은사 개발이 그들의 삶에 왜 중요한지에 대한 충분한 이해와 인식이 있어야 한다. 이를 위해서는 먼저 인생 발달단계에 대한 이해를 통해 인생 전반에 대한 통합적이면서 거시적인 시각을 갖도록 하는 것이 중요하다.

로버트 클린턴의 지도자 부상 이론과 같은 장기적 안목을 제공하는 이론을 이해하고 각자의 삶을 시간선에 따른 전 과정을 단계별로 계획해 보며 그것에 기초한 사역 구상과 지도자 경력 개발에 대한 이해를 할 때 은사 개발에 대한 강한 동기부여를 얻게 된다.

그리스도인들은 은사에 대한 인식을 갖고 자신의 은사들을 활용해 보도록 격려 받는 것과 교회 공동체의 지체들이 서로 각자의 은사들을 확인해 주는 것이 중요하다. 그러나 더욱 중요한 점은 그리스도인들 각자가 은사확인과 개발에 대한 의지를 갖고 자신을 훈련에 해야 한다는 것이다. 자신들이 평생에 걸쳐 하나님의 훈련학교에서 훈련 받고 있는 자세를 가지면서 인격과 행동이 나선형을 이루며 성장하는 상향발전 표본에 적합한 삶을 살고 있다면 그러한 삶 자체가 은사개발에 대한 도전의식을 주게 될 것이다.

로버트 클린턴의 은사 개발 이론을 다시한번 요약해 보면 다음과 같다.

로버트 클린턴의 은사 개발론에 따르면 지도자의 잠재력에 대해서 확인하는 방법으로 세 가지로 구성된 은사 집합을 체계적으로 파악해야 한다는 것이다. 즉 타고난 재능, 습득된 기술, 영적 은사가 은사 집합의 세 가지 요소이다(J. 로버트 클린턴 & 리처드 W. 클린턴 2014:19).

타고난 재능은 사람이 태어날 때부터 타고난 능력, 기술, 재주, 또는 적성 등이 여기에 속한다. 이것들은 무언가를 성취케 하는 요소들이다. 습득된 기술은 태어난 후에 어떤 것을 성취하기 위해서 배우고 연마해서 습득된 재능, 기술, 재주 또는 적성도 여기에 속한다. 영적 은사는 하나님께서 성도들에게 주시는 초자연적인 독특한 능력을 말한다. 하나님은 이 은사를 통해 성도들이 하나님의 능력에 능력을 의지하여 사역을 하게 하신다. 성도들은 그리스도의 몸에 붙어 있다.

성령의 은사는 바로 그리스도의 몸을 위해서 주어지는 것이다. 또한 전도, 섬김, 선교, 구제, 신유, 말씀의 은사, 가르치는 은사 등 많은 은사들은 그리스도의 몸 밖에 있는 사람들을 위해서도 쓰여 지기도 한다. 중요한 것은 성령의 은사를 가진 사람들을 통해서 사역은 진행된다. 이 은사는 전적으로 하나님의 은혜로 수여된다. 사람의 노력만으로 얻어지는 것이 아니다.

고린도 전서 12장 6-11절에 보면,

**"또 역사는 여러 가지나 모든 것을 모든 사람 가운데서 역사 하시는 하나님 같으니 각 사람에게 성령의 나타남을 주심은 유익하게 하려 하심이라 어떤 이에게는 성령으로 말미암아 지혜의 말씀을, 어떤 이에게는 같은 성령을 따라 지식의 말씀을, 다른 이에게는 같은 성령으로 믿음을, 어떤 이에게는 한 성령으로 병고치는 은사를, 어떤 이에게는 능력 행함을, 어떤 이에게는 예언함을, 어떤 이에게는 영들 분별함을, 다른 이에게는 각종 방언 말함을, 어떤 이에게는 방언 통역함을 주시나니 이 모든 일은 같은 한 성령이 행하사 그 뜻대로 각 사람에게 나눠 주시느니라"**

복음 사역자들이 사명을 감당하기 위해서는 교회 직분자들이 각자의 사명과 주어진 일들을 감당하기위해서는 거기에 합당한 성령의 은사가 필수적이다. 성령의 은사 없이 사역을 감당하는 것은 선한 결과를 기대할 수 없는 것을 의미한다.

위에서 언급한 은사를 베드로 전서 4장 10절-11절에 근거해서 크게 나누어 보면, 말씀의 은사와 행위의 은사로 나눌 수 있다. 베드로 전서 4장 10-11절의 말씀은 다음과 같다. "각각 은사를 받은 대로 하나님의 각양 은혜를 맡은 선한 청지기 같이 봉사하라 만일 누가 말하려면 하나님의 말씀을 하는 것 같이 하고 누가 봉사하려면 하나님의 공급하시는 힘으로 하는 것 같이 하라" 그러나 영적 은사는 성도 각자가 갖고 있는 타고난 자연적 재능도 포함되어 있다는 점이다.

은사집합의 주요 개념들 안에는 핵심요소, 은사의 혼합, 은사 꾸러미, 주도적 은사, 은사의 투영 등이 있다. 핵심요소는 타고난 재능, 습득된 기술, 영적 은사 중에서 어느 하나가 다른 두가지 은사들 보다 더 우세한 것으로 나타날 수 있는데 이 은사를 가리켜 핵심요소라고 한다(J. 로버트 클린턴 & 리처드 W. 클린턴 2014:238). 다른 두 가지 은사는 우세한 은사를 지원하여 은사의 역할을 강화한다. 중요한 것은 세가지 은사 모두 지도력을 돕는 요소들이다. 이 지배적인 은사가 나중에 나타날 수도 있다. 또는 지배적 은사가 무엇인지 인지하지 못하고 다른 두 은사의 협력적인 시너지를 활용하지 못하는 경우도 있다. 이 때문에 이 핵심 요소를 발견하고 개발하고 활용하는 것이 지도자 개인의 리더십 개발에 무척 중요하다.

은사의 혼합은 지도자 사역 기간 중에 어느 특정 시기에 사용되는 영적 은사의 집합을 말한다. 은사 꾸러미는 은사 집합 중의 한 가지 은사가 탁월하게 개발되고 다른 은사들이 이 은사의 효율성을 극대화하는 방향으로 조화를 이루어 사용되는 경우를 일컬어 은사의 꾸러미라고 부른다. 주도적 은사는 지도자의 은사 혼합이나 은사꾸러미 중에서 지도자의 사역을 위해서 가장 효과적으로 사용되는 은사를 말한다. 은사의 혼합은 시간이 지나면 바뀔 수 있으며 사역의 유형에 적합한 은사활용은 매우 중요하다 하겠다(J. 로버트 클린턴 & 리처드 W. 클린턴 2014:70).

하나님은 그리스도인들의 일생을 통해서 은사를 주시고 그 은사를 개발하고 활용하도록 간섭하시고 도우신다. 이 때문에 그리스도인들은 은사를 발견하고 효과적으로 사용하기 위해서 자신의 삶 전체를 돌아보는 시간을 갖는 것은 매우 중요하다 하겠다. 그래야 책임의식을 갖고 은사를 활용하기 때문이다.

은사의 투영은 자신에게는 그 은사가 없는데 그 은사가 좋아서 혹은 그 은사를 가진 지도자를 좋아하거나 존경해서 그 은사를 모방하기도 하고 또 마치 그 은사를 소유한 것처럼 하면서 사역에 힘쓰는 것을 말한다. 또는 지도자들이 따르는 사람들에게 그 지도자에게 있는 동일한 은사를 소유한 것처럼 여기고 사역할 것을 요구하는 것도 은사의 투영에 속한다. 이럴 경우 자칫 부정적인 결과를 초래할 수 있다. 맹목적으로 지도자를 따라 하다가 결국 자신에게 있는 은사를 무시하거나 발견을 못하고 인지를 못하거나 인지를 했어도 개발을 못하는 경욱 그렇다(J. 로버트 클린턴 & 리처드 W. 클린턴 2014:74).

이것을 적용해 보면, 각자가 자기들의 은사가 발견되었던 사건들과 시기를 작성해 보는 것이다. 각자가 자신의 삶을 정리하다 보면 어떤 사람은 신앙생활을 하는 동안에 처음 발견하는 은사도 있을 것이고 가지고 있다고 생각했던 은사를 재확인할 수도 있을 것이다. 이런 은사 발견의 시간선을 작성하면서 정리하다 보면 자신들의 삶 전체에 간섭하시고 이끌어 오셨던 하나님의 손길과 은혜를 깨닫게 될 것이다. 이런 과정은 장차 효과적인 지도력 발휘에 있어서 강력한 무기를 장착하게 하는 시간이 될 것이다.

로버트 클린턴이 말하는 시간선에 따른 은사개발의 유형을 보면 다음과 같다. 1단계는 1-14세의 나이를 말하며 천부적인 재능이 있다고 보는 단계이다. 2단계는 6-22세의 나이에 해당하며 기본적인 기술습득의 단계이다. 3단계는 16-21세의 나이에 걸쳐 영적 은사의 징후가 나타난다. 4단계는 16-28세 사이에 보완적인 은사 개발의 시기이다. 5단계는 20-25세 나이에 걸쳐 드러난 은사가 무엇인지를 보게 된다. 6단계는 30세 이상 정도의 나이에 해당하는데 잠재된 은사가 나타날 수 있는 시기이다. 7단계는 25-40세에 해당하는데 부가된 은사들이 발견되고 개발된다. 8단계는 30-40세에 속하면 은사 혼합이 형성되기도 한다. 9단계 역시 30-40세에 해당하며 은사 집합이 나타난다. 10단계는 30-50세를 가리키는데 진보된 기술이 나타나는 시기이다. 11단계는 35-50세에 해당하는데 은사 꾸러미가 나타나는 단계이다. 12단계는 45-65세에 해당하는 단계인데 수렴현상이 나타난다(J. 로버트 클린턴 & 리처드 W. 클린턴 2014:81). 모든 사람들이 시간선과 일치하지는 않지만 이 시간선을 작성하다 보면 자신들의 과거를 성찰하고 돌아보고 또 향후 자신들의 지도자 개발의 방향을 가늠할 수 있다는 것이다.

이처럼 지도자는 자신들 각자가 갖고 있는 은사를 통합적인 시각으로 확인하고 점검할 필요가 있다. 결국 지도자들이 지도력은 사역의 현장에서 교회 공동체 현장에서 영향을 주기 때문이다.

## 유종의 미를 거두는 목표를 이룰 수 있도록 훈련을 통해 도전하라

한 때 한 시대를 풍미했고 대표했던 유명한 지도자들이 돈, 권력남용, 성적인 문제로 잘 마무리하지 못하고 도중 하차하는 일들을 뉴스를 통해서 접하면서 안타까움을 금할 수 없다. 구약성경에서부터 신약성경에 이르기까지 성경안에는 무수한 지도자들이 언급되어 있다. 하나님 안에서 인생을 잘 마무리한 지도자들이 있는가 하면, 유종의 미를 거두지 못한 수많은 지도자들이 있었다. 족장, 제사장, 선지자, 왕, 사도, 복음 전도자, 교사 같은 위치에 있는 지도자들이었다. 어떤 지도자는 암살당하였고, 어떤 지도자는 전쟁에서 죽기도 하였고, 더러는 지위를 박탈당하기도 하였다. 즉 초기에 몰락한 지도자들이 있었다.

어떤 지도자들은 초기에는 지도력을 잘 발휘했는데 말년에 초라하게 생을 마감하기도 하였다. 어떤 지도자들은 하나님께서 원하셨던 일을 충성되게 완수하지 못하여 바른 지도력을 발휘하지 못한 경우도 있다. 이와는 반대로 유종의 미를 잘 마친 지도자들이 있다. 이들은 끝까지 하나님과 생동감 있는 관계를 유지하였고 하나님께서 그들에게 주신 잠재력을 최대한 발휘하여 하나님의 목적하심에 합한 삶을 살았다(J. 로버트 클린턴 2015:29-31).

로버트 클린턴은 그의 책 '유종의 미'에서 유종의 미를 가로막는 여섯 가지 장애물에 대해 언급했는데 즉 재정의 오용과 남용, 권력남용, 교만, 부적절한 이성관계, 가정문제, 비전과 열정의 상실을 지도자로 하여금 아름다운 끝맺음을 방해하는 장애물로 보았다(2015:39-41).

그리고 끝맺음을 잘하는 지도자의 특징도 여섯 가지로 보았는데,

첫째, 끝까지 하나님과 개인적으로 생동감 있는 관계를 유지한다.

둘째, 배우는 자세를 유지하고 다양한 종류의 자료를 통해 배우며, 특히 삶의 경험을 통해 계속 배운다.

셋째, 삶에서 성령의 열매의 증거로 그리스도를 닮은 성품을 나타낸다.

넷째, 진리를 삶에 적용하고 하나님의 약속이 실현되는 것을 본다.

다섯째, 하나 혹은 더 많은 영적 유산을 남긴다.

여섯째, 사명의식을 점차적으로 분명히 확신하고 그것의 일부나 전부가 성취되는 것을 본다.

즉 하나님께서는 한 사람의 리더의 삶을 평생에 걸쳐 전생애를 걸쳐 전방위적 차원에서 준비시키시고 그 리더의 사명을 이루기 위해서 그 지도자의 삶에 개입하시고, 인도하시면서 그 사명을 점차적으로 완성해 가신다. 유종의 미를 거두는 지도자는 이런 성취를 경험하게 된다는 것이다(2015:61-66).

로버트 클린턴은 지도자들이 유종의 미를 거둘 수 있도록 하기위해 강화수단이 필요함을 역설했다.

그가 말한 강화수단은,

첫째, 지도자들이 평생의 안목을 가져야 한다는 것이다. 즉 현재의 사역을 평생의 관점에서 바라보고 해석하고 평가해야 한다는 것이다. 둘째, 지도자들은 반복적인 갱신을 기대하고, 반복적으로 하나님으로부터

새로운 비전과 확신을 경험해야 한다. 또 갱신에 대해서 열린 자세가 있어야 하고 결단해야 한다. 로버트 클린턴은 특히 30대 중반, 40대 초반 그리고 50대 중반을 주목하면서 갱신이 필요한 시기인데 영적 훈련이 약하면 갱신보다는 과거 경험과 기술에 의존하여 정체되기 쉬울 수 있음을 경고했다.

셋째, 절제훈련, 학습, 예배, 축제, 봉사, 기도, 친교, 고백, 순복, 청빈의 삶, 하나님 음성듣기, 안식 실천, 영성일기 쓰기 등 다양한 종류의 영적 훈련이 필요하다.

넷째, 평생을 통해 겸손히 배우는 자세를 가져야 한다. 타인의 삶과 독서들을 통해서 배우는 자세를 유지해야 한다.

마지막으로 주변의 멘토(인생의 중요한 지침들과 삶의 지혜를 주는 조언자)들 과의 아름다운 소통과 관계를 통해서 실패의 함정을 피할 수 있도록 경고와 적절한 조언을 받는 멘토링이 필요하다. 10~15명의 멘토를 주변에 두는 것은 지도자가 유종의 미를 거두는 삶에 있어서 매우 유익한 것으로 보았다(2015:44-57).

유종의 미를 위한 그리스도인들의 지도력 개발을 돕기 위해 필자는 아래와 같이 지도력 개발 종합 지침서를 제안하고자 한다.

1) 건전한 개인생활의 중요성을 유지하라: 말씀과 주께 대한 열정을 유지. 찬양과 감사의 생활, 범사에 하나님께 영광 돌리는 생활.

2) 교회 공동체를 향한 헌신의 마음을 유지하라

3) 정서적 안정감을 확보하라: 정서적 개발에도 힘써라

4) 평생을 통해 겸손히 배움의 자세를 가지라

5) 삶의 균형을 유지하라: 일, 가정, 삶, 인간관계에 있어서 균형을 갖

도록 노력하라

6) 자기 개발에 목표를 구체적으로 세우라: 일주일, 한달, 1년, 5년, 10년 단위의 개발 목표를 적고 실천하라

7) 건강도 돌보고 관리하라: 영양관리, 규칙적인 운동을 통해 질병예방에도 힘쓰라. 하나님은 우리가 건강하길 원하신다. 위험신호를 잘 보라. 먹는 음식을 조심하라. 정기적으로 운동하라. 우리 신체는 우리가 기대하는 것보다 훨씬 더 큰 기능을 발휘할 수 있다. 조깅, 자전거, 수영, 걷기, 구기, 체조, 매달리기 등 운동은 정신력도 강화시킨다. 자기에게 맞는 적합한 운동을 찾아 건강을 위해 운동을 해야 한다. 적당한 수면과 휴식을 취하라. 자신의 한계를 이해하고 목표를 조정하라.

8) 영성 관리를 하라: 매일 성경 읽기, 기도하기, 말씀을 삶 속에서 실천하여 하나님 나라의 선한 영향력을 발휘하기,

10) 시간을 관리하라: 주간, 월간, 년간 계획표를 만들어 실천하라.

## 시간 낭비의 요인들

(시간 낭비 요인 낭비적음 낭비 많음에 대한 자가 진단 표)

회의(지나치게 많은 회의) 1 2 3 4 5 6 7 8 9 10

조직(복잡한 조직) 1 2 3 4 5 6 7 8 9 10

갑자기 온 손님 1 2 3 4 5 6 7 8 9 10

과대한 업무량 1 2 3 4 5 6 7 8 9 10

불분명한 업무분담 1 2 3 4 5 6 7 8 9 10

불분명한 목표 1 2 3 4 5 6 7 8 9 10

전화 1 2 3 4 5 6 7 8 9 10

비조직적인 일 처리 과정 1 2 3 4 5 6 7 8 9 10

원리원칙 (지나친) 1 2 3 4 5 6 7 8 9 10

상관-명령을 함부로 하는 1 2 3 4 5 6 7 8 9 10

너무 많은 정보나 재료 1 2 3 4 5 6 7 8 9 10

미루는 버릇 1 2 3 4 5 6 7 8 9 10

과도하게 하려는 태도 1 2 3 4 5 6 7 8 9 10

습관적인 일 1 2 3 4 5 6 7 8 9 10

설명을 잘 듣지 않고 하는 것 1 2 3 4 5 6 7 8 9 10

거절하지 못하는 것 1 2 3 4 5 6 7 8 9 10

잘 조직되지 못한 것 1 2 3 4 5 6 7 8 9 10

불필요한 SNS 활동 1 2 3 4 5 6 7 8 9 10

정돈되지 못한 책상, 부엌 1 2 3 4 5 6 7 8 9 10

위임하지 않는 것 1 2 3 4 5 6 7 8 9 10

분명한 목표가 부족한 것 1 2 3 4 5 6 7 8 9 10

어디에 무엇을 두었는지 모르는 것 1 2 3 4 5 6 7 8 9 10

계획하지 않고 하는 일들 1 2 3 4 5 6 7 8 9 10


**시간낭비 요소를 제거하는 법**

낭비요소 발견한다

그 원인을 규명한다

시간 낭비를 계속 했을 때 오는 영향을 고려한다

시간 낭비 요소를 제거했을 때 유익을 헤아린다

낭비요소 제거를 위한 계획을 세운다

## 우선순위 정할 때 고려할 점

### 비 효과적인 방법

하고 싶기 때문에 먼저 하는 것 (취향에 따라)

과거에 습관대로 하는 것

압력에 따라하는 것

손에 잡히는 것부터 해 나가는 것

### 효과적인 방법

기도 (지혜, 하나님의 뜻 구함)

목표선정

방법선택

시간표 작성

예산 세우기

실천

평가

계획의 필요성을 인식하라

자기와 약속하라

끈질기게 해야 한다

스케줄을 따라 가도록 노력한다

### 목표를 세우는 훈련 (예시)

인생의 목적: 그리스도인으로서 하나님께 영광을 돌리는 데 있다.

분야: 영적인 면, 인격적인 면, 가정적인 면, 사회적인 면

장기목표: <예> 훌륭한 강해가, 선교센터운영, 건강유지, 자녀/대학 준비, 자녀/사회 진출 준비, 성공적인 사업가, 아내/전문성 있는 자기 사역 등. 이처럼 각자의 장기 목표를 적어 본다.

단기목표: 성경신학 공부, 운동, 자녀들과 대화, 매주 작은 그룹 모임 인도하기, 관심 분야에 대한 책 읽기, 계획생활하기, 절약하기-가계부 작성하기, 지인들과 교제, 지속적인 하나님과의 생동감 있는 교제를 위해 힘쓰기, 방과 책상 정돈하기, 부부대화

실천> 아침 일찍 경건의 시간 갖기, 성경통독 매일 10장, 매주 4시간 자기 개발 공부, 아침에 공복에 물 마시기, 가계부 쓰기, 예산 세우기, 충분한 수면, 교육비 저축, 매일 시간표 짜고 이행하기, 집 청소 1주일 한 번, 가족, 이웃, 동료, 나라, 세계선교 현장 위해 매일 기도하기, 한 주간 살면서 도움이 필요한 이웃이나 성도는 없는지 살펴보고 전화로 안부 묻거나, 간단한 음식이라도 만들어 대접하기, 짧은 시간이라도 집중해서 자녀와 시간 함께 보내기, 저녁 식사 후에 아내와 산책하며 대회하기, 가정예배 매일 저녁에 드리기.

11) 학습하고 배우라: 형식적 비형식적인 형태로 자신의 성장을 위하여 다방면에 공부하라

12) 재정관리를 하라

## 재정관리의 목적

a. 하나님의 사업을 위해 드리는 것

b. 가정의 필요를 공급하는 것

c. 국가세금을 내는 것

d. 빚을 갚는 것

e. 남은 돈 – 하나님 나라를 위해 더 드리는 것

f 남을 돕는 것

g. 장래를 위해 예금하는 것

h. 나의 계발과 여가활동을 위해 쓰는 것

## 예산 본보기

최우선 순위: 하나님 나라와 의를 먼저 고려하기

가정에 필요한 것: 집에 관한 것 (집세나 주택 대출금, 세금, 부담액, 보험), 소비품 (집), 전기, 수도, 까스 등, 음식, 옷, 교통 (보험, 차량 유류비, 수리비 등), 화장실, 욕실, 보험, 전화, 오락, 선물, 교육, 청소, 세탁용, 보수비, 휴가비, 기타 잡비, 국가 세금 (세금, 퇴직금)

남은 돈 쓰는 용도: 하나님의 사업, 다른 사람 돕는 것, 투자 (저축), 나의 만족을 위해 쓰는 것.

필자가 위에서 제기한 것들은 그리스도인들이 인생을 잘 가꾸고 돌보기위해서 필요한 전인적인 리더십을 훈련하기 위한 지침들이다.


## 선교적 삶과 선교적 교회를 향해 도전하고 훈련하라

레슬리 뉴비긴은 그의 책 '교회란 무엇인가'에서 교회의 선교적 본질과 사명에 대해서 말했다. 그는 교회는 종말론적 관점에서 보아야 함을 강조하였는데, 즉 그리스도 안에 계시된 심판과 구원의 복음이 온 세상에 전파될 때까지 종말이 보류되기에 교회는 온 세상에 복음을 전해야 할 선교적 사명이 있다는 것이다. 그는 이어서 세상에 대한 정의는 피상적인 것이 아니라 구체성을 갖고 있다는 것이다. 즉 "세상은 인도, 중국, 아프리카, 러시아, 남아메리카 등 실제의 나라와 민족들을 가리킨다는 것"이라고 말하면서 교회의 선교적 본질과 사명에 대해서 말했다(레슬린 뉴비긴 2002:165-166). 이처럼 교회는 선교적 본질과 사명을 갖고 있기에 지도자들이 이점에 대해서 자각하고 있어야 한다.

교회의 선교적 사명은 성경에서 강조하고 있다. 예수님의 리더십의 궁극적 목적은 제자들을 세워 열방에 복음을 전하여 열방을 구원하려는 세계 선교였다. 하나님의 본체 이신 예수 그리스도가 이 땅에 오신 것은 선교의 최종 목적을 완성하기 위해서이다. 그리고 예수님은 선교사의 가장 완벽한 본을 보여 주셨다. 그리고 예수 그리스도를 믿는 자들에게 예수님은 선교적 명령을 전달하셨다. 다음은 복음서에 강력하게 말하고 있는 선교명령이다.

"예수께서 나아와 일러 가라사대 하늘과 땅의
모든 권세를 내게 주셨으니 그러므로 너희는 가서 모든 족속으로 제자를
삼아 아버지와 아들과 성령의 이름으로 세례를 주고 내가 너희에게 분부
한 모든 것을 가르쳐 지키게 하라 볼찌어다 내가 세상 끝날까지 너희와
항상 함께 있으리라 하시니라"
마 28:18-20

"또 가라사대 너희는 온 천하게 다니며 만민에게 복음을 전파하라"막
16:15

"또 이르시되 이같이 그리스도가 고난을 받고 제 삼 일에 죽은 자 가운데서 살아날 것과 또 그의 이름으로 죄사함을 얻게 하는 회개가 예루살렘으로부터 시작하여 모든 족속에게 전파될 것이 기록되었으니
너희는 이 모든 일의 증인이라"

눅 24:46-48

"하나님이 이처럼 세상을 사랑하여 독생자를 주셨으니 이는 저를 믿는 자마다 멸망치 않고 영생을 얻게 하려 하심이니라 하나님이 그 아들을 세상에 보내신 것은 세상을 심판하려 하심이 아니요 저로 말미암아 세상이 구원을 받게 하려 하심이라"

요 3:16-17

주님의 지상명령 앞에 지역, 종족, 민족, 인종의 장벽들은 모두 사라져 버린다. 모든 민족들이 예수 그리스도의 복음을 통해서 복을 받는다.

이처럼 주님은 선교를 명하셨고 복음서는 모든 민족과 열방을 향한 주님의 선교명령을 강조하고 있다. 이와 더불어 우리가 알아야 될 것은 선교를 명하신 예수님께서 선교를 수행할 수 있는 방법을 알려 주셨다는 점이다. 사도행전 1장 8절이 그 해답이라 하겠다.

**"오직 성령이 너희에게 임하시면 너희가 권능을 받고 예루살렘과 온 유대와 사마리아와 땅 끝까지 이르러 내 증인이 되리라 하시니라"**

**사도행전 1: 8**

　선교의 위대한 명령을 전달하신 예수 그리스도가 선교의 신학적 근거 자체이다. 우리는 예수 그리스도 안에서 완전한 선교사와 선교전략의 모델을 갖고 있다. 예수님은 열방을 향한 분명한 선교 목표를 갖고 있었다. 주님은 자신을 위하여 한 민족을 세상으로부터 구원하여 결코 멸망하지 않을 성령의 교회를 세울 것을 의도하셨다. 주님은 하나님의 나라가 영광과 능력 가운데 임할 그 날을 바라보셨다. 하나님은 모든 사람들이 구원을 받기를 원하셨다. 그 목적을 위하여 예수님은 자신의 생명을 아끼지 않고 우리를 위하여 내어 주신 것이다. 주님은 한 사람을 위해서 죽으셨을 뿐 아니라 모든 사람을 위하여 죽으신 것이다. 예수님에게 선교는 모든 민족과 열방을 향한 것이었다.

　선교역사는 역사를 진행해 가시는 하나님의 역사이다. 하나님은 아담의 타락 이후 최초의 복음이 담긴 창세기의 역사부터 아브라함과의 축복의 약속을 거쳐 선지자들의 예언을 통해 선포된 메시야 그리고 하나님의 본체이신 예수그리스도가 참 메시야로서 성육신으로 이 땅에 오셔서 십자가를 통한 죽음과 부활로 구원의 사역을 완성하셨다. 예수님께서 공생에 기간을 통해 12명의 제자를 예수 생명 공동체로 만들어 세계선교를 위한 강력한 모판으로 만드셨고 그들에게 약속한 보혜사 성령이 오심으로 제자들은 사도행전 1장 8절의 말씀처럼 예루살렘과 유대와 사마리아 그리고 땅끝까지 이르러 예수그리스도의 복음을 전하게 되었다.

복음의 역사는 서쪽 방향으로 움직이면서 지금은 한국, 중국, 인도 등 아시아에서 놀라운 부흥을 일으키고 있다. 50년 전만해도 선교 불모지에 불과했던 한국은 세계선교에 큰 기여를 하는 나라로 발전했다. 이 복음은 지금 중국에서 강력한 부흥을 일으키고 있다. 예루살렘에서 출발하여 지구를 반 바퀴 돌아 아시아에서 역사하고 있는 복음의 역사는 다시 이슬람의 근원지 중동을 거쳐 복음의 시작점이 되는 예루살렘으로 향할 것이다. 복음의 행진이 지구를 한 바퀴 돌아 다시 출발점으로 돌아가게 되는 것이다.

모든 그리스도인들은 선교적 리더십을 장착해야 한다. 우리의 삶의 현장이 우리의 일터가 하나님 나라를 전하는 선교현장이 되어야 한다. 내가 서 있는 현장에서 하나님 나라의 영향력이 전달되어야 한다. 필자는 이런 리더십을 킹덤(Kingdom) 리더십 즉 하나님 나라의 리더십이라고 부른다. 모든 그리스도인들이 킹덤 리더십을 갖게 되면 삶을 통해 하나님 나라의 영향력이 흘러 가게 된다.

세계 선교를 마음에 품고 내가 서 있는 곳부터 세계선교의 사명을 감당하면, 그런 사람은 세상을 변화시키는 리더십을 지닌 사람이다.

하나님은 당신이 세상을 변화시키는 리더십을 갖기를 원하신다. 그래서 지금까지 당신을 세상을 변화시키는 지도자로 만들고 계신다. 하나님은 당신을 지도자로 만드는 과정 내내 하늘의 증거들과 당신의 삶을 채우시고 하늘의 복으로 풍성케 하여 주실 것이다.

부록

# 부록 1

## 하나님이 준비하신 최고 값진 선물

성탄절이 되면 어린 아이부터 어른에 이르기까지 마음이 설레게 되는 것은 왜 그럴까? 아마도 갖고 싶은 크리스마스 선물이나 마음의 소원이 이루어지는 기적을 바라서가 아닐까?

세상에서 최고로 귀한 보물은 값을 매길 수 없기에 그 소유주가 그냥 주어야만 받을 수 있다. 우주의 창조주요 왕이신 예수님이 이 땅에 오셨을 때 말구유 즉 말 밥 통에 태어나셨다. 갓난아기를 위한 따뜻한 방도 사람들의 따스한 환영도 없었다. 존재감 없는 모습으로 가난하고 가장 낮고 천하고 누추한 더러운 환경에서 태어나셨다. 그래야만 이 세상에서 가장 가난하고 천하게 취급을 받는 사람에게도 희망을 줄 수 있기 때문이다.

하나님은 이 방법을 통해서 세상에서 값을 매길 수 없는 가장 값진 보물을 우리에게 선물로 주셨다. 우리는 세상에서 가장 값진 보물이신 예수님을 소유한 자가 되었다. 하나님 아버지가 그 보물을 우리에게 양도해 주셨다. 그래서 그 보물을 공짜로 소유하게 된 우리의 삶 자체가 은혜라고 우리는 고백한다. 내가 뭘 한 것이 아니라, 그 분이 다 하셨다. 내가 이렇게 남들보다 열심히 충성했으니 주신 것이 아니라, 내가 그분의 자녀이기에 주신 것이다. 내가 남들 보다 더 특별해서가 아니라 내가 하나님께 소중한 존재이기에 선물로 주신 것이다. 나만 특별한 존재가 아니라 모든 사람들은 하나님께 소중한 존재이다. 우리가 우주의 왕이신 그분의 자녀이기 때문이다.

하나님 나라, 그 본체로 오셨던 예수 그리스도는 십자가에서 나의 죄와 허물을 그리고 내가 받아야 할 형벌을 대신 짊어 지시고 십자가에서 물과 피를 다 쏟으시고 죽으셨다. 그리고 나에게 영원한 구원을 선물로 주시려고 삼일 만에 부활하셨다. 예수님이 길이요 진리요 생명이시다. 하나님이 우리를 너무 사랑하셔서 독생자 예수를 우리에게 주셨다. 누구든지 예수 그리스도를 믿는 자는 멸망치 않고 영생을 얻는다. 날마다 구원의 기쁨과 감격을 누리는 인생이 되라. 아직 예수님을 믿지 않는 사람들은 지금이 마지막 기회라 생각하고 예수님을 구주로 영접하기를 바란다.

# 부록 2

# 이 시대를 사는 모든 그리스도인을 위한 글

# Covid-19 세계적 범 유행(Pandemic)과 기독교

## 2020년 4월에 쓴 기고문

### 코로나와의 전쟁

코로나 범 유행(Covid-19)으로 인해서 한국 교회와 선교사 모두 한 번도 처해 본 적 없던 상황에 직면하면서 시련을 통과하고 있다.

지금 세계는 코로나 전염병과 처절한 전쟁을 하고 있다. 이 전쟁 때문에 지구촌 곳곳의 수많은 사람들은 신체적, 정신적, 경제적 고통과 어려움을 직면하고 있다. 나라와 나라의 이동이 차단되고 한 나라 안에서도 지역 간 이동이 차단되었다. 코로나 범 유행은 소상공인들과 기업들에 큰 타격을 주고 있다. 또한 일하지 않고도 수개월 버틸 수 있는 재정이 있는 사람들은 지금의 상황이 큰 문제가 아닐 수 있지만 당장 하루 벌어 하루 먹고 사는 사람들은 일을 할 수 없게 된 상황이 고통일 것이다.

다양한 분야의 국제전문가들은 현 상황에 대해 나름의 분석한 것을 발표하고 있다. 헨리 키신저 전 미국 국무장관은 최근 WSJ 기고문을 통해 "코로나 19 사태가 세계 질서를 영원히 바꿔 놓을 것" 이라며 "범 유행 상황이 종료하더라도 세계는 그 이전과는 전혀 같지 않을 것" 이라고 내다

봤다. 미국의 경제 전문가 게리 실링은 블룸버그 통신에서 코로나 범 유행으로 인해 국경을 막으면서 발단이 된 물류와 공급망의 붕괴가 세계화(Globalization)의 취약점을 보여주었다고 보면서 향후 반세계화 운동이 거세게 일어날 것을 예견하였다.

사실 이번 코로나 범 유행으로 각 나라가 서로 국경을 걸어 잠그는 지구촌의 모습을 우리는 보고 있다. 유럽 공동체조차도 서로 간 국경을 폐쇄하였다. 세계는 인적, 물적 교류의 차단으로 관광과 교육 분야와 관련 산업에도 큰 충격을 주고 있다. 바이러스 확산으로 이동과 비즈니스 거래가 막히고 있다.

유럽과 미국에서는 아시아인들에 대한 인종적 차별과 언어 및 물리적 폭행 사건들이 폭증하고 있다. 당분간 인종차별적 종류의 범죄 사건은 증가할 추세로 보인다. 최근에 유럽과 미국에 유학생들과 교민들이 한국으로 대거 몰려오고 있다. 코로나 범 유행으로 인한 건강상의 불안감 증폭과 인종차별적 범죄의 증가가 주요한 원인이다. 이것은 한국 유학생만의 문제가 아닌 유럽과 미국에 거주하는 모든 아시아인에게 해당하는 문제이다. 이것은 해외 거주 모든 선교사도 예외일 수 없다. 아시아인 기피 현상은 선교사역에 적잖은 영향을 줄 것으로 예상이 된다.

또한 코로나 범 유행은 국제관계나 경제 관점에서 국수주의와 보호무역주의를 부추기는 명분을 주고 있다.

### 교회와 선교는 어떤 가?
혹자는 "코로나 범 유행으로 대형교회의 몰락이 시작될 것이고 탈종교화는 가속될 것이다"라고 말한다. 물론 이것은 지극히 개인적인 판단일 수 있지만, 그냥 가볍게 지나가는 말로 들리지 않는다.

한국교회는 이번 코로나 범 유행 사건을 통해 정부의 방역 방침에 따른 온라인 예배는 공동체를 약화시키는 계기가 될 수 있다는 조심스러운 생각에 공감대를 갖게 되었다. 온라인 예배는 재정의 감소로 이어질 수 있다. 그리고 교회의 재정 감소는 교회의 사역은 물론 선교 후원금 지원에 영향을 줄 수 있다. 선교 후원금 감소는 국내외 일선 선교사들에게 영향을 주는 도미노 현상이 일어날 수 있다. 코로나 범 유행이 장기화하거나 제2의 바이러스 범 유행이 지구촌을 강타하게 되면 기독교 선교의 패러다임에 큰 변화를 줄 것이라 본다.

최근 20년 사이에 인류는 사스와 메르스 그리고 코로나 범 유행을 만났다. 단순히 근거해서 이 시대를 봐도 이런 전염병 범 유행 현상이 결코 우연한 사건이 아님을 알 수 있다.

마태복음 24장 7절 "For nation shall rise against nation, and kingdom against kingdom: and there shall be famines, and pestilences, and earthquakes, in divers places" (KJV)

민족이 민족을 왕국이 왕국을 대적하여 일어나고 곳곳에 기근과 역병과 지진이 있으리라(킹제임스역)

필자가 중국에서 초년 선교사로 있었을 때 일명 사스(중증급성호흡기증후군 Severe Acute Respiratory Syndrome; SARS)범 유행이 발생했다. 중국보다 상대적으로 피해가 적었던 한국 사람들은 김치를 먹어서 감염자가 적은 게 아닌가 하고 중국인들이 의아하게 생각했던 에피소드도 있었다.

그 위기의 시간을 중국에서 보냈다. 사스의 위기를 넘겼지만 지난 18

년간의 선교사역의 현장에서 죽음의 고비를 여러 번 맞이하였다. 생각만 해도 식은땀이 흐르고 트라우마가 남아 있다. 배고픔의 시간도 마음과 육신의 아픔의 시간도 다 넘겼다.

지난 시간을 돌아보면 그리고 지금의 시간도 다 하나님의 손길이고 정말 그분의 은혜라는 고백만 하게 된다. 개인적으로 지난 시간을 통해 더욱 분명하게 인식하게 된 것은 예수 그리스도 그분이 나와 함께 하고 계신다는 것이다. 그분 만이 내 유일한 희망이 된다는 사실이다. 정말 중요한 것은 그분과의 친밀한 교제를 누리고 있느냐 하는 것이다. 정말로 예수 그리스도 한 분이면 내가 만족할 수 있느냐 하는 것이다.

정말로 무서운 것은 불신의 바이러스인 것 같다. 그리고 그리스도인들의 믿음의 야성을 무너뜨리는 세속의 바이러스가 더 위험하고 공동체를 파괴하는 이기적인 마음이 바이러스 보다 더 무서운 것이 아닐까?

다시 주제를 코로나 범 유행 상황으로 돌려보자. 현재 많은 그리스도인들은 코로나 범 유행 때문에 고립의 시간을 보내고 있다. 이 고립의 시간을 영적 훈련의 기회로 생각해 보면 어떨까?

필자는 코로나 범 유행 위기가 믿음의 공동체를 다시 새롭게 하는 기회가 될 수 있다고 보고 있다. 세계적 국가적 사회적 개인적 차단을 통한 고립의 시간이 어쩌면 그간 불신, 세속주의, 이기주의로 물든 믿음의 공동체를 새롭게 하는 기회가 될 수 있다는 희망을 품어 본다.

우리는 지금 이 고립의 시간을 통해 일상의 소중함이 얼마나 귀한 축복이었는지 그리고 새벽 예배로 수요예배로 금요 기도회로 주일예배로 구역예배로 모여 함께 예배를 드렸던 일상이 얼마나 소중한지를 뼈저리게 경험하고 있다.

화려한 궁중 생활을 하다가 광야로 도망가 40년간의 고립의 시간을 보낸 모세가 떠오른다. 그에게 40년간의 고립의 시간은 고립이 아니라 다음 미션(임무)을 위한 준비의 시간이었다. 당대 최고의 나라 이집트에서 살던 이스라엘 백성들이 척박한 광야로 나왔을 때 모세는 이미 40년간을 광야에 살면서 생존 방법을 몸으로 터득했기에 그들을 인도할 수 있었다.

하나님께서 모세가 감당해야 할 다음 미션을 위해서 40년간 고립의 시간을 훈련의 시간으로 섭리하셨다면 지금 우리에게 준비케 하고자 하시는 것이 무엇일까? 현재를 살고 있는 그리스도인들이 감당해야 할 다음 미션은 무엇일까?

코로나 범 유행이 나라마다 종료 시점이 다를 수 있다. 코로나 범 유행의 출구가 언제쯤 보일까? 길게는 올해 9월까지 혹은 그 이상도 내다보는 전문가들이 있다. 더 문제는 사스, 메르스, 코로나 범 유행이 주기적으로 세상을 덮치고 있다는 점이다. 감염의학 전문가들은 이보다 더 무서운 역병이 인류를 공격할 수 있다는 예견을 하고 있다.

코로나 바이러스 보다 더 전파력이 강하고 더 치명적인 바이러스가 오면 세계는 어떻게 대응할까? 그리고 어떤 일이 벌어질까? 이 물음에 해답을 찾기가 어렵다.

## 고통과 고립의 시간을 반전시켜라

하나님은 말씀 한 마디로 지금 세계를 강타하고 있는 코로나 팬데믹을 없애 주실 수 있다. 그러나 이 고통의 시간을 허용하는 이유는 무엇일까?

사회적 격리와 차단으로 가족이 함께 있는 시간이 많아졌다. 교회 공동체의 기본은 가정이다. 고립의 시간을 통해 개인과 더불어 가족 모두를 더욱 신앙적으로 깊어지게 하고 성숙하게 하는 영적 훈련을 할 수 있으면 이 고통과 고립의 시간을 반전시킬 수 있지 않나 생각해 보게 되었다. 그리고 더 나아가 하나님은 개인과 가정과 교회로 하여금 이 고립의 시간을 모세에게 부여하신 것처럼 우리에게 새로운 미션(특별임무)을 위해 준비하라고 하는 섭리적 기회로 주신 것은 아닐까 하고 생각해 본다.

필자가 생각하는 다음 미션은 세상의 마지막 때를 믿음으로 이겨내면서 마지막 복음의 주자가 되어 세계 복음화의 임무를 감당하여 예수님의 다시 오심을 예비하는 것이다.

그러면 다음 미션을 위해 우리가 준비해야 할 것은 무엇일까?

### 이 시대를 분별하자

"And of the children of Issachar, which were men that had understanding of the times, to know what Israel ought to do; the heads of them were two hundred; and all their brethren were at their commandment." KJV역대상 12: 32

"시세를 알고"(개역개정), "때를 잘 분간할 줄 알고"(새 성경), "그 시대의 흐름을 잘 이해하고"(현대인의 성경)

구약성경 역대상 12장에 보면 잇사갈 지파 중에서는 시대(때)를 읽고 (이해하고, 깨닫고) 이스라엘이 마땅히 행할 바를 아는 우두머리가 200명이 있었고 그들의 모든 형제들이 그들의 명령을 따랐다.

그리스도인들은 성경을 읽으면서 현재 일어나고 있는 사건들을 살펴보면 지금이 어떤 시대인지 좌표를 그려 볼 수 있다. 그리고 성령님의 조명하심을 통해 이 시대를 읽을 수 있다.

눈앞에 다가온 그리고 곧 다가올 현실을 살펴보자

민족이 민족을, 나라가 나라를 대적하고 있다, 세계 곳곳에 지진, 기근과 역병(전염병 대유행)이 빈번히 발생하고 있다. 세계 곳곳에 불법과 죄악이 범람하고 있다.

세상 안에서 거세게 일어나고 있는 민족주의, 국수주위, 보호무역주의는 인류애를 파괴할 수 있다. 사회적 거리두기는 사람까지 멀리하게 만들지 않을까? 감염자를 바이러스로 보는 세상이 되었다.

사람들은 점점 사람을 만나는 실물의 세계 보다는 가상의 세계에 더 빠져들 수 있다. 인터넷 기반의 소셜 네트워크를 통한 새로운 인터넷 종족이 출현했다. 인터넷 소셜 네트워크를 통해 사람들은 제 각기 추구하는 성향을 따라 사람들과 소통을 하고 있다. 코로나 대유행 이후 사람들은 다중이 모이는 것을 피하고 소규모 혹은 더 적은 수로 모이려고 하거나 가족 단위로 극단적으로는 개인적으로 활동하거나 여가를 보내려는 현상들이 나타날 것이다.

온라인 쇼핑몰과 온라인 게임 등 인터넷 온라인 기반의 산업은 더욱 번창할 것이다. 드론 로봇을 통한 무인 택배와 자율 자동차가 상용화를 눈앞에 두고 있다. 5G의 보급으로 인해 가상현실과 증강현실 기술이 크게 발전할 것이다.

재택근무로의 전환을 통해 집이 일터가 되는 직장 개념의 변화가 있을 것이다. 사람의 노동을 대신하는 기계와 로봇의 발달과 더불어 사람의 뇌를 모방하려고 개발과 연구에 박차를 가하고 있는 AI 인공지능 로봇 출현이 사람들의 일자를 박탈하거나 직업에 큰 변화를 가져올 것이다.

학문의 융합 그리고 현금 없는 사회, 화폐의 개혁과 맥을 잇는 디지털 화폐 혹은 암호화폐의 통용, 전염병 범 유행(팬데믹) 같은 상황에서 혼돈의 세계를 이끌어 줄 수 있는 지도자를 향한 갈망이 나타날 것이다. 또한 그림자 정부(Deep State) 관련한 음모론들이 계속해서 쏟아져 나올 것이다.

아직도 해결 못하고 현대의 고질적인 문제로 자리 잡은 기후문제와 식량, 물 부족 사태와 함께 이처럼 4차 산업 혁명이라 불리는 시대가 다양한 얼굴로 성큼성큼 다가오고 있다. 이것이 지금 우리가 마주하고 있는 그리고 곧 만나게 될 현실이다.

### 세상 보다 크신 하나님

세상을 보면 걱정과 근심 그리고 두려움이 거대한 파도처럼 밀려온다. **"자녀들과 너희는 하나님께 속하였고 또 그들을 이기었나니 이는 너희 안에 계신 이가 세상에 있는 자보다 크심이라"** 요한일서 4:4

그러나 우리 하나님 아버지는 세상보다 크신 하나님이시기에 이런 현실을 두려워하기보다 다가온 세상과 다가올 세상에 믿음으로 맞서야 할 것이다.

이런 혼돈과 예측 불허의 시대에 우리의 정체성을 무엇으로 정의할 것인가?는 내가 누구를 믿고, 내가 믿는 바가 무엇인가? 그리고 내 중심에 누가 있는가? 나와 진정으로 함께하고 있는 분에 대한 나의 믿음에 기초하여 달라질 수 있다.

나를 거인 앞에 놓인 메뚜기(민수기 13:32-33)로 볼 것인가? 아니면 반대로 나를 우주 최강의 왕이신 예수님의 왕자로 생각하고 내 앞에 있는 장대한 거인 족들과 여리고 거민들을 천지를 창조하신 전능하신 하나님 아버지께서 내게 주신 밥(민수기 14:6-9)으로 볼 것인가?

**"무릇 하나님으로부터 난 자마다 세상을 이기느니라 세상을 이기는 승리는 이것이니 우리의 믿음이니라. 예수께서 하나님의 아들이심을 믿는 자가 아니면 세상을 이기는 자가 누구냐"** 요일 5:4, 5

우리는 결국 이기고 승리하는 자이다. 두려움 보다는 폭풍우 가운데 성난 파도를 향해 "잠잠 하라"고 명령하시는 우리의 선장, 우리의 대장, 우리의 목자이신 예수님을 바라보고 세상을 향해 당당하게 맞서야 한다.

세상이 예수님의 자녀들을 미워하는 것은 종말에 나타나는 자연스러운 현상이다. 고난은 영광이다. 모든 그리스도인들은 두려워 말고 오늘 이 순간 내게 맡겨 주신 임무와 사명을 은사와 재능을 가지고 우리의 있는 자리에서 감당해야 한다. 선교지가 따로 있는 것이 아니다. 성도들이 현재 있는 자리 그 일터가 선교지다. 목숨을 걸고 거기서 승부를 겨뤄야 한다. 그곳에서 하나님의 나라가 나를 통해 복음을 통해 이루어지게 해야 한다.

이 시대는 목회지와 선교지가 따로 있지 않다. 목회적 선교, 선교적 목회적 관점을 갖고 사역하고 일해야 한다. 일터와 선교지가 구분이 없는 세상이 되었다. 젊은 세대와 더 젊은 청소년 세대 그리고 더 어린 세대는 이미 타 문화권이 되어 버렸다.

## 복음의 강력한 DNA를 소유한 공동체를 세우라

복음의 강력한 DNA를 소유한 공동체를 세워 나가고 적정사역으로의 전환을 하자. 작지만 기동력 있고 심플하지만 복음의 강력한 DNA를 가진 소규모 공동체를 세우는 데 주력해야 한다. 교회와 선교 사역에 있어서 적정 사역 기술 개발과 적정 사역으로의 전환이 빠르게 이루어져야 한다.

적정기술과 적정 사역의 핵심은 무엇인가? 예수 그리스도를 닮아가고 그분께 집중하고 그분이 하라고 당부하신 일을 수행하고 그분 만을 전하는 것이다.

## 단순한 진리로 승부하라

감비아에서 15년 선교 사역을 했던 'Come Mission 선교회 대표' 이재환 선교사는 그의 책 '미션 파서블' 제5과 '프로젝트성 선교의 위기'에서 "많은 북아프리카 유목민들이 무슬림화 된 것은 돌 다섯 개만 있으면 어디서든지 아름다운 모스크를 세울 수 있다는 단순하고 쉽고 편리한 포교 방법이 있었기 때문 일지도 모른다." 고 말한다.

즉 유목민들이 길 가다가 돌 네 개는 동서남북에 하나씩 그리고 나머지 한 개는 메카를 향해 놓고 그 안에 들어가 예배를 드리면 그곳이 최고의 이슬람 모스크 성전이 되기 때문이다.

사실 우리 그리스도인들은 돌 다섯 개도 불필요하다. 돌 다섯 개도 너무 많다. 왜냐하면 예수 그리스도가 나를 성전 삼고 내 안에 계시기(고전 3:16)에 그리스도인들은 언제든지 어디서든(Any Time, Any Place) 예배를 드릴 수 있기 때문이다. 성경의 단순한 진리로 돌아가야 한다. 그래야 깊은 영성을 소유할 수 있다. 그래야 이 시대를 이겨 낼 수 있다.

마지막 시대는 단순하면서 기동력 있고 강력한 복음의 DNA를 이식한 소규모 공동체로만 다가올 세상에 맞설 수 있다.

### 틀도 바꿀 준비를 미리 하자, 새 부대가 필요하다

변화와 개혁이 안 되면 틀을 바꾸어야 한다.

내가 아는 중국의 도시 가정교회 지도자가 있다. 그는 4000여명의 성도를 목회하고 있었다. 어느 날 공안 국으로부터 교회 규모가 크니까 작은 규모의 교회로 축소하든가 아니면 강제로 해체하겠다는 최후 경고 메시지가 전달되었다.

최후 경고 메시지의 의미를 알기에 교회 지도자는 리더들과 함께 금식하며 기도하였고 결국 틀 자체를 바꾸기로 결정하였다. 4000명 교인을 100명 단위로 더 작게는 10명 단위로 나누는 큰 결단을 하게 되었다. 전에는 4000명이 호텔에 모여 5부 6부 예배 드리며 규모와 세력의 힘을 보여주었다면 이제는 보이지 않는 교회로 틀을 바꿔 버렸다.

이들이 붙잡은 것은 초심이었고 초대교회의 모델이었다. SNS를 통해 소통하고, 헌금은 휴대폰 앱으로 성도들이 있는 자리에서 송금한다. 교회가 보이지 않지만 강하게 움직이고 있다는 것이다. 성도들의 사업장이나 집이 교회요, 예배처가 되었다. 이 교회는 커피숍 같은 선교적 사업장을 오픈해 가고 있다. 사업장을 내어 일자리 창출은 물론 복음사역의 거점과 교두보를 만들어 가면서 복음을 전국적으로 확산한다는 비전을 실천해가고 있다.

주일에는 영업을 중단하고 커피숍에서 사업장에서 소규모 그룹 예배, 교육, 훈련을 시행하고 있다고 한다. 성도들은 각자 있는 처소와 일터에서 하나님의 사랑을 나누며 복음을 왕성하게 전하고 있다는 것이다. 이제는 그림자 교회가 되어 게릴라식 방법으로 위기를 극복해 가고 있다.

내 심 4000명 성도를 자랑했던 가정교회 지도자는 하나님 앞에 다 내려놓고 틀을 바꾸었더니 지금은 상상할 수 없는 방법으로 복음이 더 확산되어 가고 있는 모습을 보고 있다고 한다. 성도들은 더욱 착하고 충성된 종이 되어 모든 성도가 선교사요 전도자로 일터에서 하나님 나라를 전하고 있다. 헌금은 줄지 않았고 더 풍성해졌다고 한다. 이 교회는 해외로 중국인 선교사들을 파송하고 있고 온라인 신학교를 운영하고 있다.

나는 이 교회 지도자로부터 위 내용을 직접 들을 수 있는 기회가 있었다. 곧 다가올 현실을 생각하면 한국 교회도 틀을 바꾸어야 하는 결단의 때가 오지 않겠나 하고 생각하게 한다. 안으로부터 변화와 개혁이 안 되면, 어느 날 갑자기 외부로부터 강제적 해체를 당할 수 있는 날이 멀지 않다고 본다. 미리 준비하는 것이 쉽지는 않겠지만 분명한 사실은 지금 다가온 그리고 곧 다가올 시대를 생각하면 변화나 변혁이 아니라 틀 자체를 바꾸어야 하고 새 부대가 마련되어야 한다는 사실이다.

### 물 맷돌 다섯 개를 준비하자

역사는 많은 군사나 최고 성능의 무기에 의해 바뀌지 않았다. 보잘것없이 보이는 흔한 물 맷돌 하나가 하나님의 손에 붙들리면 세상을 바꾸는 가장 강력한 무기가 될 수 있다.

다윗은 홀로 양 떼를 돌보는 고립의 시간에 악기와 물 맷돌 던지는 기술을 연마하지 않았을까? 필자는 그렇다고 확신하고 있다. 결국 다윗은 물 맷돌 하나로 모든 이스라엘 군사들의 간담을 서늘하게 만든 거인 골리

앗 장수를 제거하였고 악기 연주로 하나님을 찬양하면서 사울 왕을 괴롭혔던 악귀를 물리치게 했다.

이 단순한 물 맷돌 던지는 기술과 악기를 다루는 기술이 다윗에게는 적정 기술이었고 다윗은 그 적정 기술을 적정 사역화 하였다. 그리고 하나님은 그것을 사용하셨다.

내게 맞는 적정기술을 연마하고(하나님 나라 확장에 공헌할 기술, 재능)습득하여 삶의 현장에서 하나님 나라의 선한 영향력을 발휘하여 일터가 하나님 나라를 전하는 사역의 현장이 되게 하자.

## 예수 그리스가 주신 새 계명, '서로사랑'을 실천하자

신 구약 성경 전체를 꾹 짜면 '예수 그리스도' 나온다. 그리고 그분이 하신 말씀을 꾹 짜면 '하나님 사랑, 이웃 사랑'이 나온다. 이것이 성경의 핵심이다.

지금 이 어려움의 시기에 우리 그리스도인들이 실천해야 할 것은 사랑이다. 하나님이 먼저 나를 생명을 다해 사랑해 주셨다. 그리스도인들은 먼저 하나님의 아가페 사랑을 누려야 한다. 그리고 그 사랑을 믿음의 공동체 안에서, 우리 동료들 안에서, 가족 안에서, 이웃 안에서 그리고 열방 안에서 실천해야 한다.

무엇이 내게 없는 가를 헤아리기보다, 내게 이미 있는 것이 무엇인가를 헤아리며 작은 것부터 사랑을 실천해야 하겠다.

코로나 범 유행 때문에 수많은 사람이 바이러스 감염으로, 정신적으로, 경제적 어려움으로 고통을 받고 있다. 어쩌면 우리의 이웃 중에 혹은 믿음의 공동체 안에 있는 지체 중에 어려움을 당한 사람이 있을 수 있다.

이웃 교회 목회자 중에 이웃 동료 선교사 가정 중에 어려움 당한 지체들이 있을 수 있다. 지금 우리는 부지런히 서로를 돌아보며 긍휼의 마음을 갖고 사랑을 베풀어야 한다.

이 시대를 사는 그리스도인들은 음식을 나누고 필요한 재정적 어려움도 함께 나누었던 초대교회 예수 공동체의 모범을 우리는 실천해야 한다(사도행전 2:42-47). 작은 것부터 우리도 할 수 있다.

하나님 아버지가 세상을 창조하셨기 때문에 하나님 아버지는 우주의 최고봉이시다. 우주의 최강이시다. 전능하신 분이시다. 그리고 그분은 사랑이시다.

하나님 아버지는 당신의 백성을 반드시 건지시고 당신의 품으로 품어 주시는 분이시다. 우리 그리스도인들은 창조주 하나님 아버지가 함께하고 계신다. 우리는 그분의 가장 좋은 모든 것을 다 가진 자들이다. 게다가 천국의 소망이 있다. 가장 확실한 것을 갖고 있기에 두려운 것이 없는 사람이다. 우리는 우주 최강의 왕의 자녀들이다.

## 전인적 면역력을 키우라

코로나바이러스가 지나가면 더 지독한 또 다른 바이러스가 올 수 있다. 그리고 예측이 어려운 급변하는 세상이 다가올 수 있다. 앞서 말한 것처럼 세계 각 분야의 전문가들은 코로나 범 유행 이후 세계는 큰 변화를 맞이할 것으로 진단하고 있다. 그러나 두려워 말라.

**'그러나 이 모든 일에 우리를 사랑하시는 이로 말미암아 우리가 넉넉히 이기느니라 내가 확신하노니 사망이나 생명이나 천사들이나 권세 자들**

이나 현재 일이나 장래 일이나 능력이나 높음이나 깊음이나 다른 어떤 피조물이라도 우리를 우리 주 그리스도 예수 안에 있는 하나님의 사랑에서 끊을 수 없으리라' (로마서 8:36-38)

　　최고의 전인적 면역력을 키우는 방법은 오직 예수 그리스도로 무장하고 말씀의 원리를 따라 영적, 육적, 정서적 건강관리를 하는 것이다.

　　성경 읽고 기도하고 찬송하면서 그리스도 예수와 더불어 일상에서의 친밀감 있는 생생한 교제를 누리라. 그리스도의 평강과 평안을 간직하고 가정, 이웃, 동료와 더불어 화평하도록 힘쓰라. 작은 것이라도 베풀고 나누면서 그리스도의 사랑을 실천하라. 매일 조금씩 짬짬이 자기에게 맞는 운동(근력, 유산소, 유연성 강화)을 하라, 적당한 쉼과 수면을 취하고, 물도 잘 마시고 하나님이 주신 자연음식을 섭취하라. 물론 그 외 방법이 다양하겠지만 나는 이것이 전인적인 면역력을 키우는 최상의 방법이라고 알고 있다.

'스스로 지혜롭게 여기지 말지어다 여호와를 경외하며 악을 떠날지어다
이것이 네 몸에 양약이 되어 네 골수를 윤택하게 하리라' (잠언 3:7, 8)
'마음의 즐거움은 양약이라도 심령의 근심은 뼈를 마르게 하느니라'
(잠언17:22)

결국 우리는 예수 그리스도와 함께 승리합니다.

할렐루야!

# 부록 3

## 이런 삶을 살게 하소서(기도문)

하나님 아버지가 나의 아버지 되시고 모든 그리스도인의 아버지 되심을 찬양합니다. 예수 그리스도를 통해 나를 구원하시고 나를 자녀삼아 주시고 나와 영원토록 함께 하심을 찬양합니다. 하나님만이 우주를 운행하시고 세상을 통치하고 모든 복의 근원 되시고 모든 병의 치유자 되심을 찬양합니다. 예수그리스도를 통해 나에게 하나님 나라의 유업과 영적 권세를 주심을 찬양합니다.

하나님 아버지께서 나에게 주신 귀한 꿈과 비전 그리고 나에게 주신 모든 것들을 소중하게 생각하며 살아가게 하소서. 그리고 주신 것들을 소중히 가꾸며 이루어 갈 수 있는 믿음을 주소서. 적극적 삶의 행동이 있게 하소서. 순종하게 하소서. 하나님 말씀을 따라 온전히 살게 하소서. 담대함을 주소서. 불가능 앞에 좌절하지 않고 오히려 하나님의 능력의 손길을 볼 수 있는 기회가 왔다고 생각하는 긍정적인 마음을 주소서. 그리고 도전하게 하소서. 사람이나 환경을 지나치게 의식하지 않게 하소서.

사람을 기쁘게 하는 자가 아니라 하나님을 기쁘시게 하는 자가 되게 하소서. 그래서 때로는 '아니오' 라고 할 수 있는 사람이 되게 하소서, 나의 한계를 알고 바람직한 경계를 설정하여 나와 타인도 함께 보호받게 하는 관계의 축복을 누리게 하소서. 심지가 견고케 하소서. 주님 안에서 올바른 소신을 가지고 묵묵히 정진하게 하소서. 나를 강하게 훈련 하소서. 늘 깨어 있게 하소서. 하나님만이 나의 유일한 소망이 되십니다. 늘 하나님을 기쁘시게 해드리는 삶을 살게 하소서. 거룩하게 하소서. 겸손하게 하소서. 한

결같은 믿음으로 흔들리지 않게 하소서. 날마다 성령으로 새롭게 하소서. 날마다 개혁되게 하소서. 날 사랑하게 하소서. 온전한 나눔과 섬김을 이루게 하소서. 하나님을 제일로 사랑하게 하소서 하나님만이 나의 삶의 원리가 되십니다. 하나님은 축복의 원천이시며 나의 기업이십니다.

삶의 우선 순위를 분명히 갖고 살게 하소서. 비전을 새롭게 하소서. 지혜를 주소서. 전문성을 키우게 하소서. 이를 위해 매일 10분이라도 실천하게 하소서. 최선을 다해 노력하며 부지런히 사는 인생이 되게 하소서. 오늘을 성실하게 살고 내일을 준비하는 삶이 되게 하소서. 순례자의 삶을 온전히 살게 하소서. 천국 본향을 바라보며 이 땅에서 하나님의 뜻을 이루며 살게 하소서. 면류관을 상으로 받는 인생이 되게 하소서. 내 삶과 내 마음과 내 영혼에 주님이 주시는 기쁨으로 가득하게 하소서. 행복한 삶이 되게 하소서. 담대함을 주소서. 불의에 굴하지 않게 하소서. 현실 앞에 좌절하지 않게 하소서. 하나님의 자녀로서 담대함을 갖게 하소서. 사람들 앞에 비굴하지 않게 하소서. 겸손하지만 담대하게 하소서. 바른 것을 전하게 하소서. 주님 편에 굳건히 서서 담대히 일하게 하소서. 하나님께서 주신 최고 이 계명 즉 '하나님 사랑 이웃 사랑' 잘 실천하며 살게 하소서.

영적, 감정적, 신체적 탱크가 항상 가득 차고 넘치게 하소서. 균형을 주소서. 온전한 리더십을 갖추게 하소서. 미래를 내다볼 수 있는 통찰력을 주소서. 혼돈의 시대 속에서 이 시대를 읽을 수 있는 영적 눈을 열어 주시고 영적 분별력을 주소서. 나와 모든 그리스도인들이 죄악에 빠지지 않게 지켜 주소서. 삶의 지혜를 주소서. 적극적으로 긍정적으로 살게 하소서. 영력과 실력의 두 날개를 달게 하시고 체력도 더하여 주소서. 유모와 재치가 있게 하소서. 삶의 지침, 원칙과 계획을 성경적으로 수립하고 실천하는 삶을 살게 하소서. 시간을 아끼게 하소서. 기본기를 철저히 다지는 삶이 되게 하소서. 삶의 우선 순위를 정하고 삶을 잘 관리하게 하소서.

큰 약속 때문에 작은 약속들을 무시하는 삶을 살지 않게 하소서. 작은 것도 소중하게 생각하고 실천하는 삶을 살게 하소서. 격려와 칭찬을 아끼지 않는 사람이 되게 하소서. 남을 세워주며 아껴주고 장점을 개발시켜 줄 수 있는 사람이 되게 하소서. 남들이 안 된다고 하는 사람까지도 세울 수 있는 능력을 주소서. 주님의 안목으로 사람을 바라보게 하소서. 그리고 온전히 섬기게 하소서. 가난하고 눌리고 병들고 소외된 사람들을 위해 기도하며 섬기게 하소서.

이 시대에 하나님께 은혜 입은 자 되게 하소서. 하나님과 늘 동행하는 사람이 되게 하소서. "주님이시라면 어떻게 하실 까?" 이런 관점에서 선택하며 결정하게 하소서. 축복의 사람이 되게 하소서. 하나님께서 함께 하셔서 형통한 사람이 되게 하소서. 나의 인생에서 가장 귀한 것으로 주님께 드릴 수 있는 하나님의 사람이 되게 하소서. 일이 내가 원하는 대로 되지 않을지라도 하나님의 섭리와 나에게 주시는 교훈을 온전히 깨닫고 겸허하게 나를 살피고 나에게 더 좋은 것을 주시려는 하나님의 뜻을 순종하게 하소서. 하나님의 약속을 온전히 기다릴 수 있는 기다림의 은혜를 주소서.

민족과 나라 그리고 이 시대와 세계를 주님의 마음으로 품고 기도하는 사람이 되게 하소서. 믿는 형제자매와 이웃을 위해 기도하는 기도자가 되게 하소서. 기꺼이 기도의 거룩한 노동을 하는 기도의 사람이 되게 하소서. 삶이 예배가 되는 참된 예배자가 되게 하소서. 늘 주님을 간절히 찾는 자가 되게 하소서. 신앙과 삶의 균형을 이루는 그리스도인이 되게 하소서. 상식이 통하는 그리스도인이 되게 하소서.

하나님의 전신 갑주를 입고, 구원의 투구를 쓰고, 의의 흉배를 붙이고, 평안의 복음으로 예비한 신을 신고, 진리의 허리띠를 띠고 믿음의 방패를 들고 성령의 검 곧 하나님의 말씀의 검을 들고 영적 전쟁에서 승리하는 그리스도인이 되게 하소서. 가는 곳마다 밟는 땅마다 기도와 마음이 닿는 곳마다 새 생명의 역사가 일어나게 하소서. 주님의 시선이 머무는 그 곳에 나의 삶이 있게 하소서. 열매를 맺게 하소서.

나이가 들어가도 여호수아와 갈렙처럼 멋있게 인생을 살며 힘있게 일 할 수 있게 하소서. 하나님의 사람을 양육하며 세울 수 있는 안목과 능력을 주옵소서. 안과 밖이 투명한 사람이 되게 하소서. 말과 행동이 일치되는 사람이 되게 하소서.

느헤미야와 같은 리더십을 주옵소서. 사무엘과 같이 사람을 볼 줄 아는 안목을 주옵소서. 다윗처럼 하나님의 마음에 합한 자가 되게 하소서. 하나님을 깊이 갈망하는 마음을 주옵소서. 만군의 여호와 이름으로 담대히 골리앗 앞에선 다윗의 불굴의 믿음을 주옵소서. 여호수와 갈렙의 믿음의 눈을 갖게 하소서. 아브라함의 시대와 환경을 초월한 믿음과 이삭의 순종의 마음 그리고 100백의 축복을 받게 하소서. 앞을 내다보는 야곱의 깊은 영성을 갖게 하소서. 아벨처럼 가장 귀한 것으로 주님께 예배 드리는 그 소중한 마음을 간직하게 하소서. 에녹처럼 주님과 이 시대에 동행하는 그런 사람이 되게 하소서. 노아처럼 이 죄악 된 세상에서도 의롭게 살게 하시고 하나님의 은혜를 부어 주옵소서. 엘리야의 담대함과 영성을 주옵소서. 850대 1의 영적 대결도 두려워하지 않는 용기를 주옵소서. 전쟁의 승패는 눈에 보이는 숫자나 환경에 좌지우지되지 않고 오직 하나님께 속해 있음을 늘 깨닫게 하소서.

지금 내가 서있는 자리는 하나님의 섭리와 뜻 가운데 있음을 고백했던 에스더의 고백이 나의 고백이 되게 하소서. 베드로의 단순함도 배우게 하소서. 자기가 세웠던 사람이 자기 보다 더 큰 일을 하게 되는 것을 기뻐하며 끝까지 세워주고 격려해 주었던 위로의 사람, 용기를 주는 사람 바나바의 삶을 본받게 하소서. 선교사역 중 중도에 하차했던 마가에게 다시금 기회를 주어 결국 글르 다시 세웠던 바나바의 안목과 너그러움 그리고 인내를 본받게 하소서. 주님의 마음과 복음의 의미를 누구보다도 깊이 헤아리며 자기의 삶을 복음 사역에 쏟았던 사도 바울의 삶을 본받게 하소서.

인생을 아름답게 관리하는 선한 청지기가 되게 하소서. 시간, 물질, 건강, 가족 등 나의 모든 것이 주님의 것입니다. 그래서 소중하게 관리하는 그런 청지기가 되게 하소서. 검소한 삶을 살게 하소서. 그러나 하나님의 영광을 위한 일과 가치 있는 일에는 물질을 아끼지 않고 멋있게 쓸 줄도 알게 하소서.

우리의 인생이 안개와 같으며 잠시 폈다 지는 꽃과 같음을 잊지 않게 하시고 오늘을 살아가되 오늘이 나의 인생의 마지막 날이라는 마음가짐으로 주안에서 보람되고 의미 있게 살아가게 하소서. 땅을 바라보고 땅을 아쉬워하는 육의 사람이 아니라 천국 본향을 바라보며 오늘을 사는 하늘에 속한 사람이게 하소서. 작은 것에 행복을 느끼고 즐거워하며, 욕심없이, 투명하게, 소박하게, 정직하게, 단순하게, 담대하게, 때론 단호하게, 때론 부드럽게, 때론 융통성 있게, 그리고 베풀고, 나누고, 사랑하고, 세상에 집착 없이, 안주하는 마음 없이, 그리고 목적의식과 소명감과 사명감을 갖고 하나님과 복음 그리고 잃어버린 영혼들을 위해 타오르는 불길이 되게 하소서. 유종의 미를 거두는 인생을 살게 하소서.

사람의 필요를 말없이 채워줄 수 있는 사람이 되게 하소서. 일에 얽매이다가 사람을 놓치는 일이 없게 하소서. 사람을 소중히 여길 줄 알게 하소서. 경청의 달인이 되게 하소서. 상대의 필요와 원하는 것이 무엇인지를 미리 헤아려 채워 줄 수 있는 지도자가 되게 하소서.

화평의 마음을 주소서. 주님 주신 것을 누릴 수 있는 마음과 넉넉함도 허락 하소서. 늘 인내하게 하소서. 주님 보다 앞서지 않게 하소서. 범사에 주님을 인정하는 삶이 되게 하소서. 범사에 주님을 의지하고 맡기는 삶이 되게 하소서. 근심하지 말고 걱정하지 말고 염려하지 말고 감사함으로 하나님께 기도하는 사람이 되게 하소서. 낙심하여 넘겨져도 그 밑바닥에 주님이 계시기에 다시 일어날 수 있는 힘을 주옵소서. 때로는 사랑하시는 자를 징계하시어 올바른 길로 인도하시는 하나님 아버지이심을 잊지 않게 하소서. 우리의 믿음을 성장케 하시려고 때론 연단의 길, 가시 밭 길로도 인도하시는 하나님이심을 기억하며 겸손하게 살게 하소서. 그러나 결국 쉴 만한 물가로 푸른 초장으로 인도하시는 사랑의 하나님, 변함이 없으시는 사랑의 하나님 아버지이심을 잊지 않게 하소서.

맡겨 주신 것을 온전히 감당하게 하소서. 항상 주님 안에 내가, 내 안에 주님이 거하시는 삶이 되게 하소서. 주님의 말씀에 더 깊이 뿌리내려 아름다운 열매를 맺는 인생이 되게 하소서. 항상 주님께 구하고 두드리고 찾는 삶이 되게 하소서. 그리고 열려지는 삶이 되게 하소서.

지는 것 같으나 이기는 인생이 되게 하소서. 넘어지는 것 같으나 다시 우뚝 일어서고, 실패하는 것 같으나 성공하는 그런 역전의 인생이 되게 하소서. 연약하지만 주님으로 인해 강한 인생이 되게 하소서. 무명한자 같으나 유명한 자요, 아무것도 없는 자 같으나 모든 것을 가진 그런 삶을 경험하고 누리게 하소서. 나의 약함을 부끄럽게 생각하지 않고, 있는 그대로의 모습으로 십자가를 붙드는 인생이 되게 하소서. 나의 나 됨은 오직 하나님의 은혜임을 잊지 않게 하소서. 항상 감사와 찬양이 넘치게 하소서.

성령님으로 충만케 하소서. 나의 인생의 막다른 골목이 주님이 일하시는 출발점임을 잊지 않게 하소서. 항상 하나님을 앙망 하며 그 안에서 새 힘을 얻게 하소서. 오래 참게 하소서. 온유하게 하소서. 생명 다해 충성하게 하소서. 절제하게 하소서. 긍휼의 마음을 갖고 살게 하소서. 남의 아픔과 기쁨을 그 뿌리를 나의 마음 밭에 이식하여 근원적인 부분부터 함께 아파하고, 함께 기뻐해 줄 수 있는 그런 긍휼의 사람이 되게 하소서. 언제나 미소를 잃지 않게 하소서. 언제나 주님으로 인하여 여유를 잃지 않는 사람이 되게 하소서. 시험에 들게 마시고 저를 죄의 유혹에서 건지시고 자비와 사랑으로 용서하여 주소서.

누구도 비방하거나 비판하지 않게 하소서. 설령 부정적인 이야기가 들릴지라도 직접 확인하지 않고 말하는 어리석은 사람이 되지 않게 하소서. 오해를 받아도 성내지 않게 하시고 다만 하나님께 호소하여 주님의 도움으로, 주님이 주시는 지혜로 문제를 해결하고 해결 받는 삶이 되게 하소서. 하나님의 마음을 감동케 하는 그런 삶을 살게 하소서. 그리스도의 보혈로 나를 덮어 주소서.

어떤 결정을 앞에 두고 먼저 조급하지 않고 하나님께 아뢰며 응답이 오기 전에는 어떤 것도 결정하지 않는 사람이 되게 하소서. 단지 사람을 의식하여 사람을 기쁘게 하려는 그런 삶의 태도를 버리고 하나님을 기쁘시게 하는 것을 선택하고 결정하고 그렇게 정진하게 하소서. 사람을 두려워하지 않게 하소서. 믿는 자들은 지위고하, 빈부격차, 남녀노소, 신분지위, 나라와 인종을 막론하고 모두 예수 그리스도 안에서 한 가족임을 늘 잊지 않게 하소서. 지금 당장 비천하게 보이는 사람일지라도 하나님의 약속을 유업으로 받을 소중한 사람으로 여기고 그렇게 대하게 하소서. 사람에 대한 편견과 선입관이나 부정적 마음이나 차별의 마음을 조금도 갖지 않게 하소서.

주변의 사람들에게 아름다운 영향력을 주는 그런 그리스도인 되게 하소서. 하나님의 모든 좋은 것으로 나의 삶이 채워지며 풍성케 하소서. 믿음의 부요함과 풍성함을 날마다 누리게 하소서.

열려진 사고, 융통성과 탄력성을 갖게 하소서. 내 것만 옳다고 고집하지 않게 하소서. 전 세계 수십 억 명의 사람만큼이나 세계관이 있음을 인식하고 열려진 마음과 이해의 자세로 사람과 일을 대하게 하소서.

이 시대와 세계를 향한 하나님의 마음을 헤아릴 수 있고 하나님의 선교에 동참할 수 있는 그런 하나님의 사람이 되게 하소서. 어려운 이웃을 돕고 세계 선교를 감당하기 위해서 큰 재물도 맡겨 주소서. 꿈과 비전의 사람이 되게 하소서 그리고 그것을 온전히 누리게 하소서.

가정을 소중하게 섬기게 하소서. 아내를 사랑하고 아끼며 아이들을 소중하게 양육하되 주님의 사랑과 말씀으로 양육케 하소서. 가족의 필요와 원함이 무엇인지를 미리 알고 채워 줄 수 있는 남편이자 아빠가 되게 하소서. 가족을 보호하며 가족을 잘 돌보는 가장이 되게 하소서. 가족 모두에게 영적 부요함과 건강과 물질의 풍성함을 주셔서 베풀고 나눔이 넘치는 인생이 되게 하소서.

자녀들을 하나님의 사람으로 세워 주소서. 하나님과 사람들에게서 은총과 귀중히 여김을 받는 소중한 자녀들로 자라게 하소서. 자녀들이 창조주 하나님에 대한 믿음과 하나님의 형상을 따라 지으신 소중한 사람이라는 정체성을 갖고 하나님 주신 재능을 발견하고 개발하게 도와 주소서. 평생 즐겁게 일할 수 있는 업(Job)을 갖고 그 일에 성실한 사람이 되게 하소서. 그리고 그 일과 재능을 통하여 사람들을 도와주며 하나님께 영광을 돌리는 자녀들이 되게 하소서. 자녀들을 늘 보호하시며 주변에 돕는 좋은 조력자들을 만나게 하소서. 자자손손 믿음의 명문 가문을 만들어 가게 하소서. 자자손손 하늘의 복을 누리는 자녀들이 되게 하소서. 자랑스러운 하나님의 자녀, 자랑스러운 한국인, 자랑스러운 세계인으로 세워지게 하소서. 나와 온 가족이 하나님께 영광을 돌리게 하소서. 가족 모두 하나님 앞에서 인생의 유종의 미를 거두는 끝맺음을 잘하는 인생이 되게 하소서.

이 시대를 사는 모든 그리스도인들이 '주님이 곧 다시 오신다'라는 생각을 늘 하면서, 영적으로 깨어 살게 하소서. 병든 자들을 치유해 주시고 필요를 구하는 자들의 필요를 풍성히 채워 주시며 기적을 구하는 자들에게 기적을 은혜를 구하는 자들에게 은혜를 베풀어 주소서. 악인들에 의해 고통 당하는 자들을 구출하여 주소서. 악인들을 결박하여 주소서, 저들의 도모를 궤멸하여 주소서. 교회들 마다 부흥하게 하소서. 복음이 땅끝까지 전파되게 하소서. 모든 그리스도인들이 세계 복음화를 위해 선교사적인 삶을 살며 주님의 지상명령을 준행하는 사람이 되게 하소서. 모든 그리스도인들의 가정과 일터와 사업터를 축복하여 주소서.

모든 그리스도인들이 이 시대를 살면서 하나님을 영화롭게 하며 하나님을 영원토록 즐거워하는 삶을 누리게 하소서.

# 글을 맺으며

우리의 삶은 그 존재(Being)로부터 영향력이 흘러나온다. 참된 영향력은 우리의 존재로부터 자연스럽게 시작되는 것이다. 그러기 위해서는 우리 인생을 가꾸어야 한다. 우리의 인생을 잘 가꾸기 위해서 필자는 하나님 나라의 영향력을 가진 리더십을 길러야 한다고 보았다. 이것을 킹덤 리더십(Kingdom Leadership)이라고 명명했다. 그리스도인들은 이 킹덤 리더십을 가지고 있어야 먼저는 자신의 삶을 변화시킬 수 있다. 그리고 하나님 나라의 리더십을 삶의 현장에서 발휘할 때 그 곳에서 하나님 나라가 전해진다. 이것은 결국 세상을 변화시킬 것이다.

인생의 시작도 과정도 중요하지만 무엇보다 중요한 것은 잘 마무리하는 것이다. 인생의 끝에서 유종의 미를 거두는 자가 진정한 성공자이기 때문이다. 그러기 위해서는 우리 삶을 날마다 말씀으로 가꾸고 돌보아야 한다. 그리고 하나님 나라의 영향력을 발휘하는 리더십을 개발해야 한다.

필자는 이 시대를 사는 모든 그리스도인들이 그리고 지도자를 꿈꾸는 모든 사람들이 평생의 관점에서 자신의 삶을 바라보고 평생의 개념으로 킹덤 리더십(하나님 나라의 리더십)을 개발하여 인생을 잘 가꾸어 나가 하나님께서 귀하게 사용하시는 하나님 나라의 사람들로 세워져 가기를 바란다. 그러면 소위 성공이라는 것은 자연스럽게 따라온다. 그 성취와 성공을 통해서 도움이 필요한 사람을 돕는 진정한 성공자가 되기를 바란다. 하나님 나라의 리더십을 통해서 계속해서 이웃과 세계 열방을 섬기면서 하나님 나라에 공헌하는 인생을 살기를 응원한다.

# 중요 참고문헌

## 로버트 클린턴

2009        효과적인 리더십 개발 이렇게 하라, 임경철 역, 서울: 하늘기획.

2011a      지도자 평생 개발론, 정의정 역, 서울: 하늘기획.

2011b      영적 지도자 만들기, 이순정 역, 서울: 베다니 출판사.

## J. 로버트 클린턴 & 리처드 W 클린턴

2013        멘토링 매뉴얼, 이영규 역, 서울: 디모데 출판사.

2014        당신의 은사를 개발하라, 황의정 역, 서울: 베다니 출판사.

2000        인생주기에 따른 리더십 개발, 이영규 역, 서울: 베다니 출판사.

## 셸리 트레비쉬

2011    고립의 축복, 황의정 역, 서울: 베다니 출판사.

존 맥스웰 & 짐도넌

2010        위대한 영향력, 정성묵 역, 서울: 비즈니스북스.

**죤. 스토트**

1995           현대 기독교 선교, 김명혁 역, 서울: 성광문화쏨사.

1972    참 목자상, 문창수 역. 서울: 개혁주의신행협회.

2010          제자도(The Radical Disciple), 김명희 역, 서울: IVP


**헨리 블랙커비**

2017           영적 지도력, 윤종석 역, 서울: 두란노 출판사.

               Keith R. Anderson, Randy D. Reese